中公新書 2167

秋田 茂著

イギリス帝国の歴史

アジアから考える

中央公論新社刊

はじめに

急速な勢いでグローバル化が進む二一世紀において、私たちは新たな世界史の転換点に立っている。東アジアの経済的勃興にともなう世界経済の地殻変動、世界システムの再編がそれである。現代の変化を十分に理解するためには、私たちは、考察の射程を少し広げて、歴史的な考察をおこなう必要があるだろう。

では、世界の諸地域が緊密につながり、互いに影響し合うような相互依存、グローバル化の状況は、いったい、いつ頃から見られるようになったのであろうか。国際関係論や国際政治学など、社会科学の領域では、一九八九年の冷戦崩壊以降のアメリカ合衆国の突出した地位と影響力の行使、アメリカへの政治経済の一極化をその起源と見なす者が多い。

二〇〇一年のアメリカに対する同時多発テロ（九・一一事件）以来、アフガン戦争とイラク戦争を通じた、アメリカの「世界帝国」化がさかんに論じられた。二〇〇九年一一月にオバマ民主党政権が誕生するまでのほぼ八年間、現代のアメリカ合衆国をアメリカ帝国（American Empire）ととらえる論調が支配的であった。現代アメリカを「史上最強の世界帝国」と呼ぶ研究も現れた。ところが、オバマ政権の誕生と前後して、「アメリカ帝国論」は急速に影を潜め、忘れ去られたかのようなありさまである。二〇〇八年のリーマン・ショックに端を発したグローバル恐慌、財政・経常収支の双子の赤字の急増、イラク・アフガン両戦争での軍事的行き詰まりは、アメリカ帝国論の限界を露呈することになった。

もともと、現代のアメリカを世界帝国と考える解釈自体に無理があったといえる。国際世論を無視したブッシュ政権であっても、戦争に踏み切るには国連決議による正当化が必要であったし、アメリカは、英・日・東欧諸国の有志同盟による国際的支援や共同派兵を求めた。完全な帝国的単独行動主義は不可能であり、国際社会から一定の制約を受けていた。そうした現代アメリカの政策は、世界帝国よりもむしろ、国際社会の存在を前提として、グローバル・スタンダードと呼ばれる「ゲームのルール」を形成してきたヘゲモニー国家と考えることで明確に理解できるであろう。二〇世紀後半以降のアメリカは、圧倒的な軍事力、経済力、さらに文化的影響力を兼ね備え、国際政治経済秩序を形成・維持してきたのである。

人類の歴史を振り返ってみると、版図・勢力圏の点で最初の世界帝国は、一三―一四世紀に出現したモンゴル帝国であろう。この点については、京都大学の杉山正明（『遊牧民から見た世界史――民族も国境もこえて』日本経済新聞社、一九九七年）や、大阪大学の森安孝夫（『シルクロードと唐帝国』〈興亡の世界史5〉講談社、二〇〇七年）らによる、中央ユーラシア史の優れた研究がある。モンゴル帝国はフビライの時代に、東アジア、東南アジア地域と南アジア、西アジア（中東）諸地域を海路の交易ルートで連結し、ユーラシア大陸内陸部の交易ルートと合わせて、大陸規模のユーラシア交易ネットワークを確立した。だが、モンゴル帝国が形成した世界帝国、帝国秩序は、北アフリカの一部を含むアフロ・ユーラシア規模にとどまり、地球全体をカバーするまでにはいたらなかった。

地球的規模での影響力の行使は、大陸と海域双方において勢力を拡張した、ヨーロッパの海外植民地型の帝国の形成を待たねばならなかった。そのなかで最大の勢力が、本書で扱うイギリス帝国である。

イギリス帝国は、一九世紀の世界を支配した、最大のヨーロッパの帝国であった。その影響力は、カナダ、オーストラリア、ニュージーランドなどの白人が移住した植民地（定住植民地）、現在のインドに代表されるアジア・アフリカ諸地域で、軍事力による征服によって支配下に置かれた植民地（従属領・直轄植民地）、さらには、貿易や投資を通じた経済関係によって影響下に置かれた諸地域（非公式帝国）など、実に多様な形態をとり、地球的規模で行使されてきた。一九世紀のグローバル化の担い手として、イギリス帝国を想定しても問題はないであろう。

そのイギリス帝国の歴史については、二〇世紀の終わりにオクスフォード大学出版局から出された五巻本の *The Oxford History of the British Empire*（1998-99）があるし、古くは、一九三〇年代から五〇年代にかけて出版された *The Cambridge History of the British Empire* もある。それらは、欧米における本格的な帝国史の叢書であるが、日本語で手軽に読めるイギリス帝国の通史はない。本書がその欠落を埋めて、一九世紀のグローバル化を推進したイギリス帝国の歴史、また、現代のイギリスと世界とのつながりを理解する一助になれば幸いである。

だが、イギリス帝国の規模と歴史を考えると、すべての地域をカバーすることは不可能にちかい。したがって本書では、あえて、アジアの諸地域とイギリス帝国との関係を重視する、「アジアから考える」イギリス帝国像を描こうとしている。

冒頭で述べた東アジアの経済的勃興とともに、世界システム、世界経済の重心は、環大西洋経済圏からアメリカ合衆国の太平洋岸やインドを含めたアジア太平洋経済圏に大きくシフトした。二〇〇八年の世界金融危機と、その後の「世界の工場」としての中国の擡頭《たいとう》は、その趨勢《すうせい》をさらに加速化している。私たちは、こうした大変動を十分に認識したうえで、新たな世界史像を構築していく人類史的な課題に直面しているのである。しかし、いきなり新たな世界史を考えるのは難しい作業となるため、その第一歩として本書では、イギリス帝国とアジア諸地域との関係を、双方向的に考えていきたい。

では、現在、ダイナミックな変容を遂げつつあるインドに着目しながら、イギリス帝国の歴史的意義を考える旅を始めよう。

目次

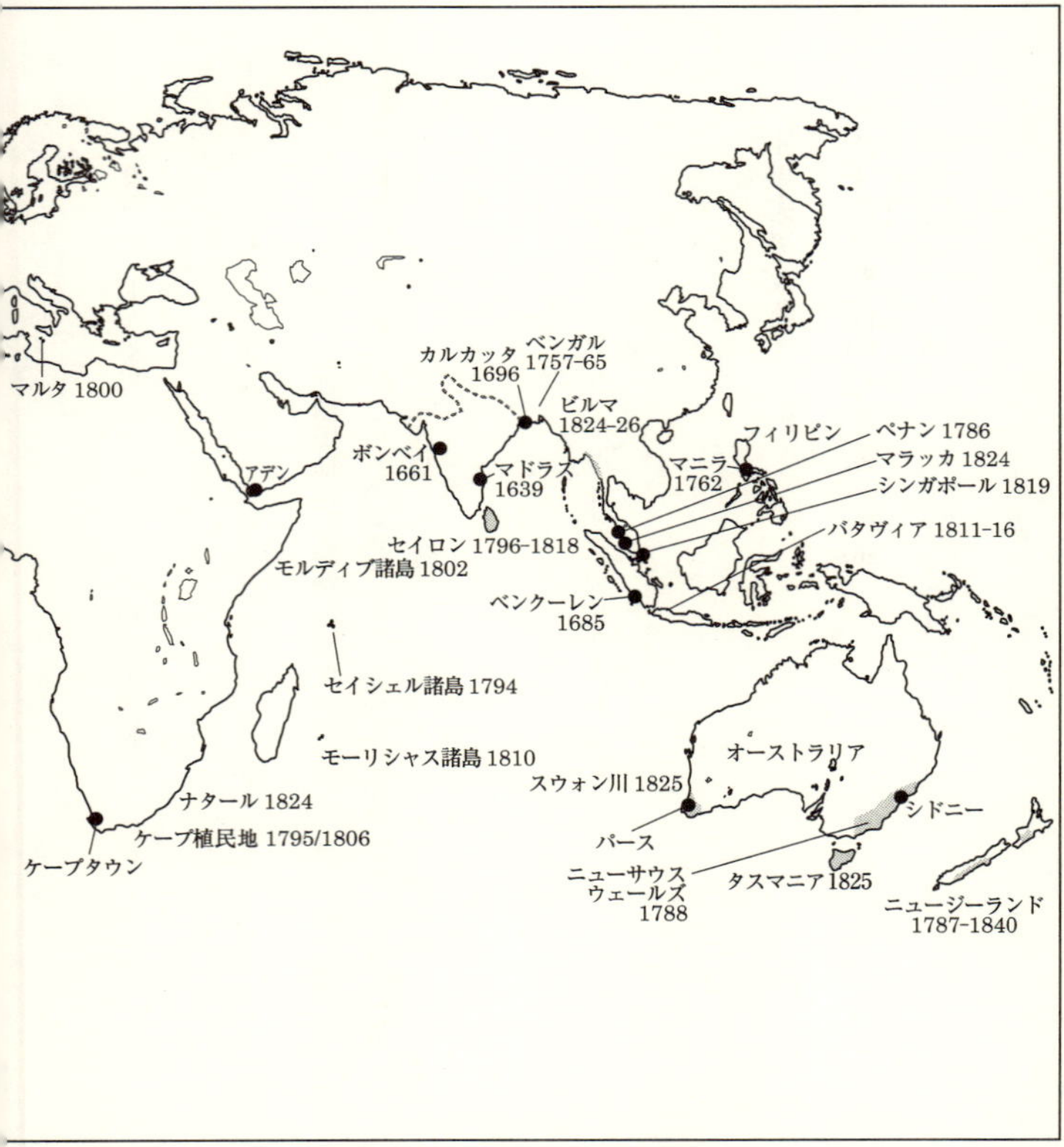
マルタ 1800
アデン
ボンベイ
1661
カルカッタ
1696
ベンガル
1757-65
ビルマ
1824-26
マドラス
1639
セイロン 1796-1818
モルディブ諸島 1802
ベンクーレン
1685
フィリピン
マニラ
1762
ペナン 1786
マラッカ 1824
シンガポール 1819
バタヴィア 1811-16
セイシェル諸島 1794
モーリシャス諸島 1810
ナタール 1824
ケープ植民地 1795/1806
ケープタウン
オーストラリア
スウォン川 1825
パース
シドニー
ニューサウス
ウェールズ
1788
タスマニア 1825
ニュージーランド
1787-1840

〈参考〉クリストファー・ベイリ編、中村英勝・石井摩耶子・藤井信行訳『イギリス帝国歴史地図』東京書籍、1994年

キプロス
マルタ
バルチスタン
デリー
エジプト
(1882)
バーレーン
インド
アデン
ナイジェリア
イギリス・エジプト
共同統治下のスーダン
ブガンダ
モルディブ諸島
イギリス領ソマリランド
イギリス領東アフリカ
セイシェル諸島
ナタール
トランスヴァール
オレンジ自由国
ケープ植民地
ポートナタール
ケープタウン
上ビルマ
香港
ビルマ
マラヤ
マラッカ
シンガポール
ボルネオ
アンダマン
諸島
パプアニューギニア
ニコバル諸島
ポンディシェリ
ソロモン諸島
オーストラリア
パース
メルボルン
ニュージーランド

〈参考〉クリストファー・ベイリ編、中村英勝・石井摩耶子・藤井信行訳『イギリス帝国歴史地図』東京書籍、1994年

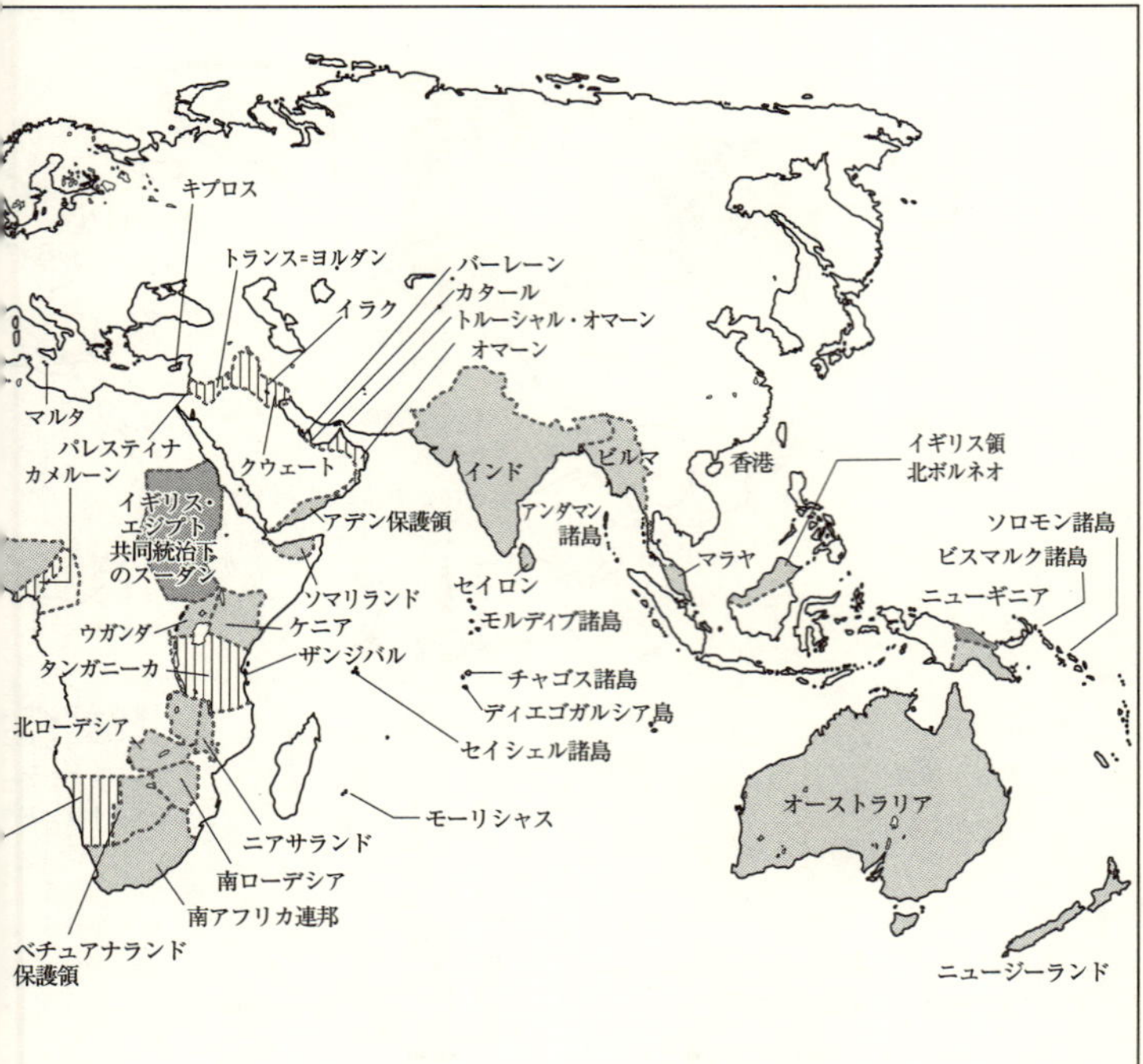
キプロス
トランス=ヨルダン
バーレーン
カタール
イラク
トルーシャル・オマーン
オマーン
マルタ
パレスティナ
カメルーン
クウェート
イギリス・エジプト共同統治下のスーダン
アデン保護領
インド
ビルマ
香港
イギリス領北ボルネオ
アンダマン諸島
ソロモン諸島
ビスマルク諸島
マラヤ
ソマリランド
セイロン
ニューギニア
ケニア
ウガンダ
モルディブ諸島
ザンジバル
タンガニーカ
チャゴス諸島
ディエゴガルシア島
北ローデシア
セイシェル諸島
オーストラリア
モーリシャス
ニアサランド
南ローデシア
南アフリカ連邦
ベチュアナランド保護領
ニュージーランド

〈参考〉クリストファー・ベイリ編、中村英勝・石井摩耶子・藤井信行訳『イギリス帝国歴史地図』東京書籍、1994年

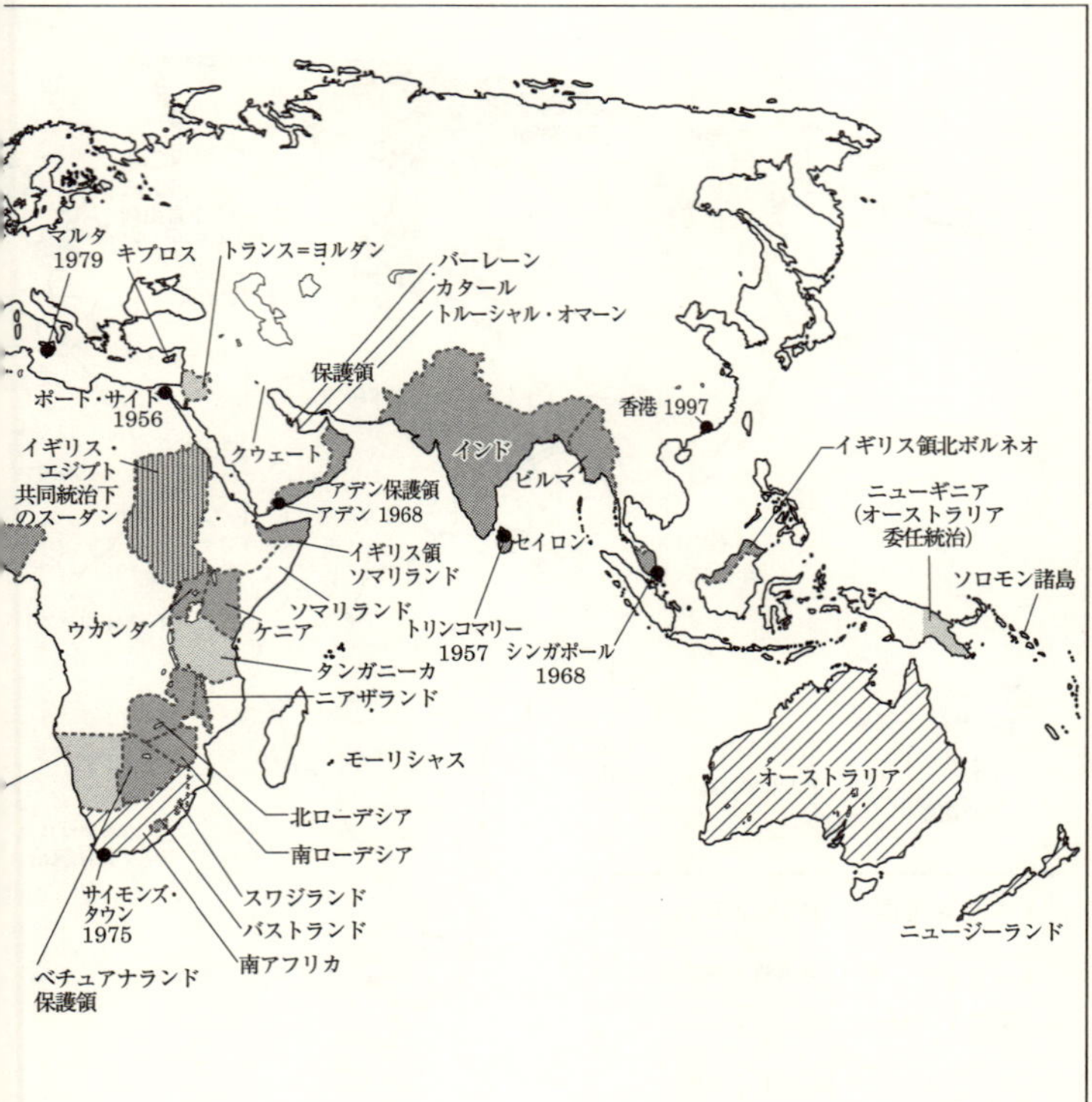

マルタ
1979
キプロス
トランス＝ヨルダン
バーレーン
カタール
トルーシャル・オマーン
保護領
ポート・サイド
1956
クウェート
インド
香港 1997
イギリス領北ボルネオ
イギリス・
エジプト
共同統治下
のスーダン
アデン保護領
アデン 1968
ビルマ
ニューギニア
(オーストラリア
委任統治)
セイロン
イギリス領
ソマリランド
ソロモン諸島
ソマリランド
ウガンダ
ケニア
トリンコマリー
1957
シンガポール
1968
タンガニーカ
ニアザランド
モーリシャス
オーストラリア
北ローデシア
南ローデシア
スワジランド
バストランド
南アフリカ
サイモンズ・
タウン
1975
ベチュアナランド
保護領
ニュージーランド

〈参考〉クリストファー・ベイリ編、中村英勝・石井摩耶子・藤井信行訳『イギリス帝国歴史地図』東京書籍、1994年

イギリス帝国の歴史

アジアから考える

序章　現代アジアの経済的再興とイギリス帝国

1　世界のGDPの変容とアジア

近年、従来の世界史認識の枠組みに大きな修正・見直しを迫る、斬新な研究が公表されている。オランダのグローニンゲン大学で活躍していた経済学者・経済史家、アンガス・マディソン（一九二六―二〇一〇）が編集・出版した、超長期のマクロレヴェルから世界経済像を考察した研究がそれである。マディソンは計量的手法を駆使して、一〇〇〇年単位（ミレニアム）の世界各国・各地域の経済成長を、GDP（国内総生産）の変遷に着目して解明しようと試みた（図1）。

その研究によれば、世界各国・各地域のGDPに占めるアジア諸地域（中国、インド、日本、東南アジア等）の比重は、一八二〇年までは五〇％を超えていた。とくに中国（明・清時代の

図1　世界の GDP の比重の変化

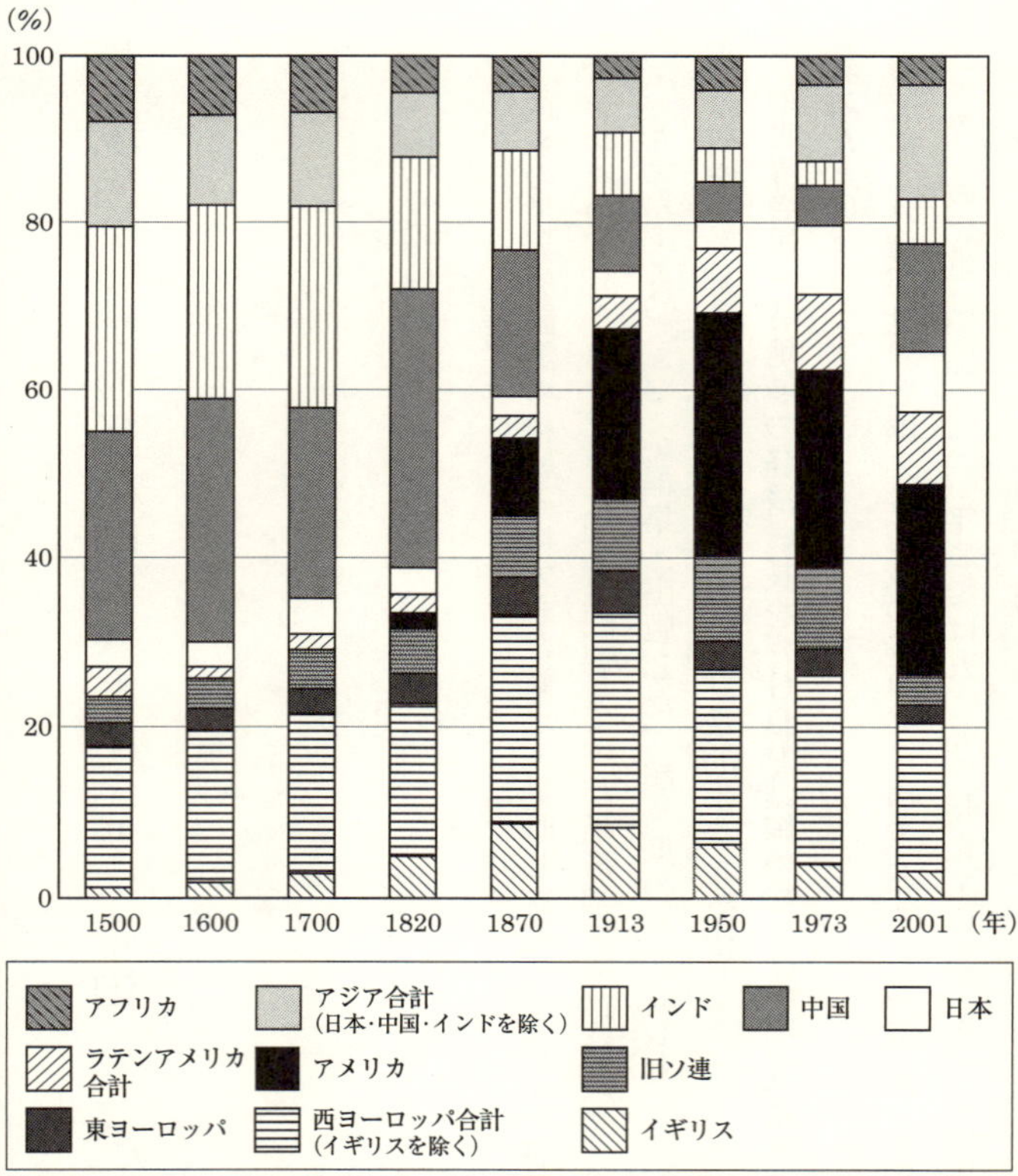

〈出典〉 Angus Maddison, *The World Economy: a millennial perspective*, 2001

中華帝国）は、単独で二〇－三〇％強を占める地位にあった。中国に次いで大きな比重を占めたのがインドである。逆に、世界で初の産業革命（工業化）を実現したイギリスのGDPは、一八二〇年の時点でも、世界の五％弱にすぎなかった。

だが、一九世紀初頭以降、西ヨーロッパに加えて、アメリカ合衆国のGDPが急激に増大したため、欧米諸国とアジア諸地域の立場は完全に逆転し、欧米諸国が占める割合は優に五〇％を超えていた。第二次世界大戦後の一九五〇年に、アジア諸地域の比重は最低の約二〇％弱に低下した。

しかし、この長期にわたる歴史的趨勢《すうせい》（トレンド）にも、近年ふたたび変化が生じ、二〇世紀の最後の四半期以降、アジア諸地域の復興が見られる。二〇〇一年の時点で、日本を含めたアジア諸地域のGDPは、ほぼ四〇％弱にまで回復してきた。このマディソンの統計データによれば、現在は東アジア、ヨーロッパ連合（EU）、北米のGDPの比重が、ほぼ拮《きっ》抗《こう》した状況にある。だが、国際通貨基金（IMF）やアジア開発銀行（ADB）の予測によれば、二〇三〇年までに、東アジアのGDPの比重は、世界全体の五〇％を超えると予想されている。

実はマディソンのこの研究は、詳細な人口統計の推計と結びつき、最終的に「一人当たりGDP」の推計をおこなうためのものである。その結果、欧米諸国の一人当たりGDPの推計値が一貫して高く優位にあったことを論証している。だがここでは、一人当たりGDPの数値ではなく、世界全体のGDP総体における比重の変化に着目したい。

この世界のGDPの変遷に見られる現代アジア諸地域の「経済的再興」(economic resurgence)を、私たちは十分に認識できているであろうか。それを歴史的に位置づける視座と座標軸を持っているだろうか。

二〇一〇年に中国のGDPが日本を超えて、アメリカに次ぐ世界第二位になった点が極端に強調されるが、世界全体で見れば、東アジア地域のGDPが世界のほぼ三分の一を占め、アメリカ太平洋岸を含めた「アジア太平洋経済圏」のGDPが世界の過半を超えた事実は、さほど注目されていない。いまや、近世一六世紀以来台頭し近代世界システムを支配してきた欧米世界(環大西洋経済圏)は、その優位性を失いつつある。こうした世界経済の変容がなぜ起こったのか、その歴史的起源はいつ頃にあり、将来の展望はどうなるのか。長期の歴史的視点からあらためて考察することが求められている。

現代アジアの経済的再興の原動力は、東アジアに位置する中国の、一九八〇年代から続く高度経済成長にある。序章では、マディソンのデータに触発されつつ、中国とならんで、一九世紀初頭まで世界のGDP分布において約二〇%の比重を占め続けてきた、南アジアのインドの地位の変容に着目したい。

インドが一九四七年八月に独立するまで、約二〇〇年にわたりイギリスの植民地支配下に置かれていたことは、よく知られている。英領インドが植民地時代、とくに一九－二〇世紀前半に、イギリスによって経済的に搾取され、極端に低い経済成長率の下で、頻発する飢饉《ききん》や広範な貧困にさらされてきたことも、従来の研究で明らかにされてきた。一九七〇年代にインドを訪れたイギリス経済史研究者、吉岡昭彦が痛烈にイギリスのインド植民地支配を批判した『インドとイギリス』（岩波新書、一九七五年）は、その代表例である。

だが、一九八〇年代以降、とくに一九九一年の経済自由化政策導入以来、インドの経済・社会は大きな変容を遂げた。いまやＢＲＩＣｓの一角として高度経済成長を達成しつつある南アジアのインドの現状と、それが形成されてきた歴史的経緯に着目して、このアジア地域が先導する世界経済の変容とイギリス帝国との関係を考える新たな視点を提示したい。

2　現代インドの経済発展と英印ビジネス関係の変容

現代インドの経済発展には目覚ましいものがある。一九九一年に外貨（国際収支）危機の最中に経済自由化政策を導入して以来、二〇年が経過するなかで、最近は年率八－九％の高度経済成長を持続している。

筆者はインドを訪れるたびに、現代のインド自体が急速な勢いで変化しているのを実感している。二〇一〇年一〇月、旧英連邦諸国が中心となったコモンウェルス・ゲームズ（旧英連邦競技会）の開催に合わせて、首都デリー国際空港の旅客ターミナルは一新され、いまでは、バンコク・スワンナプーム国際空港やシンガポール・チャンギ国際空港と比べても、設備とサーヴィス面で遜色《そんしょく》はない。一一年二月には空港連絡メトロ（地下鉄・郊外鉄道）も開通し、空港と市内のアクセスが大幅に改善され、夜遅く空港に着いた場合でも安心して移動できる。デリー市内の道路やメトロネットワークの整備は、日本のODA（政府開発援助）の支援を受けて、かつてのインドとは比べようのないスピードで進捗《しんちょく》している。朝夕の主要な幹線道路は自動車で溢《あふ》れ、インドの人々にとって神聖な牛が自由に闊歩《かっぽ》できる空間も、昼間は限られてきた。

デリー郊外の新興ミドルクラスを対象とした、大型ショッピングセンターの出現は、大衆消費文化の一端を示している。そこでは、最新型の薄型液晶テレビや日米欧の自動車が展示販売され、薄型テレビでは、韓国のサムソンと、日本勢のソニー、パナソニックとの間で熾《し》烈《れつ》な販売競争が展開されている。アジア開発銀行によれば、インド人口の一七％のミドルクラスが、インド全体の購買力の半分を占めているという。いまや、インドのGDPの約六割強が、経済の第三次部門（広義のサーヴィス）により生み出されている。インドの高度成長の特徴は、サーヴィス部門が牽引《けんいん》する点にあるといえる。

私たちは、こうしたインドを取り巻く急速な経済環境の変化と経済成長をふまえながら、新たな視点から、歴史の研究に取り組む必要があるだろう。

このインド経済の変容は、旧宗主国イギリスとインドとの間で、ビジネス事業関係の変化・逆転現象を引き起こしている。その典型が、外資系企業が進出するなかで、インド現地企業を交えてもっとも激しい競争が生じているインドの自動車産業である。

インドの乗用車市場では、日本との合弁企業マルチ・スズキが四六・五％と抜きんでた地位にあるが、第二位はタタ・モーターズ（インド、一四・六％）、第三位が現代自動車（韓国、一三・五％）、第四位はマヒンドラ＆マヒンドラ（インド、六・五％）という占有率である（いずれも二〇〇七年一〇月時点）。第二位のタタ・モーターズは、商用車部門では約三分の二（六五・八％）の市場を押さえ、優位に立つ。同社は二〇〇八年九月、世界最安の超低価格車「ナノ」（一〇万ルピー、日本円に換算して約二〇万円。四人乗りで六二三ｃｃ）を発売し、世界を驚かせた。

さらに同年、タタ・モーターズは、同業のアメリカ・フォード社より、イギリスでの乗用車製造部門であるジャガー・ランドローバーを、約二三億ドルで買収した。ジャガーはイギリスを代表する高級車として有名であり、富裕層に人気がある。ランドローバーもレジャー用四輪駆動車の先駆として、世界的に定評がある。イギリスを代表する自動車ブランドを、新興のインド系自動車会社タタがM&Aで買収した事態は、かつての英印ビジネス関係が逆転し、いまやインド系企業が多国籍企業化をめざして、欧米企業を吸収・合併する時代が到来したことを意味している。

同様な事例は、鉄鋼業でも見られる。二〇〇六年夏、イギリス在住のインド人経営者ラクシュミ・ミタル（ミタル・スチールの創業者）は、ルクセンブルクに本拠を置くアルセロール社を買収し、創業三〇年で世界第一位の鉄鋼メーカーに躍り出た。引き続き二〇〇七年一月、今度はタタ・スチールが、英蘭合弁の鉄鋼会社コーラスを約一三〇億ドルで買収し、世界第五位の鉄鋼メーカーになった。これは、インド系企業による買収としては過去最大であった。

二〇〇四－〇八年にかけて、インドからの外国直接投資が急増し、インド系企業による国際的な企業買収が続いた。では、なぜ、こうしたインド系企業の攻勢、英印ビジネス関係の逆転現象が起こったのであろうか。その問題を考えるには、歴史をさかのぼって、一九世紀後半の植民地統治時代の経済関係を、具体的な課題としては、インド最大のタタ財閥の起源と発展の歴史を振り返る必要がある。

タタ財閥の創始者は、インド西部グジャラート州出身のパールシー教徒、ジャムシェドジー・タタ（一八三九－一九〇四）である。彼は一八七四年にナグプールで綿紡績工場エンプレス・ミルを設立し、近代的機械紡績業の経営に乗り出した。その後、ムンバイ（ボンベイ）に本拠を置き事業を拡大するとともに、一九〇三年、インド・ナショナリズムの象徴である有名なタージ・マハル・ホテルを建設した。

二代目ドラブジー・タタ（一八五九－一九三二）は、一九〇七年に新たに鉄鋼業に乗り出し、インド東部ビハール州（現ジャールカンド州）のジャムシェドプールに近代的な製鉄所を建設した。これが現在のタタ・スチールの母体となった。同社は第一次世界大戦期の軍需物資調達に協力し、戦後はインド政庁の「保護主義」的産業育成策に便乗して、重化学工業部門へと経営の多角化を進めた。

他方、タタ・モーターズは、一九四五年に設立された鉄道の蒸気機関車の製造部門に、その起源がある。一九五四年から、ドイツのダイムラー・ベンツ社と資本提携して、自動車の生産に乗り出した。現在、約五万名の従業員を抱え、バス生産で世界第二位、トラックの生産では世界第四位の自動車メーカーである。

タタ財閥の本拠は、現在でもムンバイに置かれている。鉄鋼、自動車、ＩＴ（情報技術）、通信、食品など九〇〇社を超えるインド最大の財閥の売上高は、二〇一七年度で一〇〇〇億ドル（約一一兆二〇〇〇億円）に及び、従業員は七〇万人近い。五代目会長ラタン・タタ（一九三七－）のもとで売上高を急激に拡大した。二〇一七年二月に七代目会長に就任した、タタ・コンサルタンシー・サービシズCEOのナタラジャン・チャンドラセカラン（一九六三―）は、現在、欧米を含めた世界企業として、グループの収益構造改革を進めている。

このタタ財閥の発展史に見られるように、インドではイギリス統治下の後半、一九世紀末から、植民地支配下にもかかわらず、現地人資本家層による近代的産業が勃興した。二〇世紀、とくに第一次世界大戦以降は、この過程がさらに加速された。本書第3章で言及するように、戦間期からインド独立以降の経済政策、旧イギリス帝国時代の英印植民地関係を振り返ることで、私たちは初めて、現代インド実業界の「経済的攻勢」のダイナミズムを理解できるのである。

3 現代イギリス経済の変容――ロンドン・シティの繁栄と多文化主義

では次に、タタ財閥による企業買収の対象となった、イギリス経済の現状を見てみよう。イギリスの製造業（工業）に関しては、明るい話題はほとんど見当たらない。イギリスのGDP規模は現在、世界第六位であるが、工業が占める割合は約四分の一（二六・五％）で、七割以上のGDPが第三次部門（金融・諸サーヴィスなど）で生み出されている（七二・六％。いずれも二〇〇六年）。就業人口に関しても、ほぼ同様な比率である。

二〇一一年七月の『エコノミスト』誌は、イギリス製造業の中心地の一つ、東ミッドランドの工業都市ダービーに位置する二つの企業の対照的動向を次のように報じている。一つは、一九世紀中葉に設立され、現在はカナダ系の運輸企業ボンバルディア社が所有する、イギリスで唯一の鉄道車両製造工場、もう一つは、ジェットエンジンを製造するロールス・ロイス社である。

ボンバルディア社の工場は、ロンドンの地下鉄車両の製造で実績を有するが、イギリス政府によるロンドン市内連絡鉄道の車両調達公開入札（約一二〇〇両）で、ドイツのジーメンス社に敗退して受注先を失い、労働者の大量解雇、さらには工場閉鎖の危機にさらされている。

他方、同じ市内に位置するロールス・ロイス社の工場は、一九七一年の倒産・国有化から復活して、いまや世界第二位のジェットエンジン製造拠点となった。ロールス・ロイス社の工場は、標準化された技術体系と柔軟な顧客への対応、エンジン製造から保守管理等のサーヴィス部門への進出、製品の高い輸出比率（八五％）を通じたグローバル戦略によって、つねに受注・フル生産の態勢を維持している。収益の過半（五一％）が、エンジン関連のサーヴィス部門からもたらされ、同社が世界中で販売したジェットエンジンは、最新の通信技術を駆使して、ダービー市内のコントロール室からの遠隔操作により二四時間管理されているという。

同じ都市に位置するこの二つの工場の対照的な事例は、工夫次第で、衰退傾向にあるイギリス製造業が国際競争力を発揮しうる可能性を示唆している。サーヴィス部門との連携の強化がそれである。

ところで、現在のイギリスの経済成長率は実質で年二％弱であり、ヨーロッパ内でもドイツに次ぐ、比較的安定した状況にある（二〇一〇年時点）。それを支えているのが、ロンドンのシティの金融サーヴィス市場である。

ロンドンは国際金融や海上保険業務において、世界をリードする中心地である。ロンドン金融市場での外国為替取引は、ニューヨークと東京市場を合わせた金額を上まわり、世界の一日当たり取引額の約四〇％を占めている。多くのヘッジ・ファンドもロンドンに本拠を置き、世界で初めて、二酸化炭素（CO_2）の排出権取引所が開設されたのもロンドンであった。ロンドン・シティは、二〇〇八年のリーマン・ショックで打撃を受けたものの、二〇一一年時点で、イギリスのGDPの約一〇％を生み出している。

シティの活況は、現地でいまも続く大型ビルの建設ラッシュに表れている。シティの中心に位置するイギリスの中央銀行であるイングランド銀行から東側の地域は、現在急速な勢いで再開発がおこなわれており、従来ロンドン市内では見られなかった五〇階を超える数棟の

図2　イングランド銀行　シティはイングランド銀行を中心に発展し、濃密な人間関係がその信用を支えた（著者撮影）

高層ビルの建設が進んでいる。また、シティから東に約四キロ離れたドックランド（旧埠《ふ》頭《とう》・倉庫街）では、一九八〇年代に着手された再開発の結果、カナリ・ワーフを中心に第二の金融街が形成され、香港上海銀行（ＨＳＢＣ）、アメリカ・シティバンク、バークレイ銀行などの有力な銀行が本拠を構えている（図2）。

　このシティの変容を促したのが、いまから二六年前の一九八六年一〇月末に、保守党サッチャー政権が導入した、大胆な金融自由化政策「ビッグ・バン」であった。ビッグ・バンは、外国為替取引の規制を全面的に撤廃して、ロンドン証券取引所の会員権を開放した。従来の伝統的なシティの金融・証券・保険業界の閉鎖的な諸慣行と障壁を取り払い、外部からの新規参入を自由化した。

その結果、アメリカ・ニューヨークやヨーロッパ大陸部(スイス、ドイツ、オランダ等)から大規模金融資本が相次いで進出し、金融・証券取引・投資相談・不動産取引等を一括して引き受け処理する、大規模な投資銀行が誕生した。日本の金融機関も、野村証券を筆頭にしてその存在感を高めた。この劇的な金融自由化政策の導入により、世界の金融センターとしてのシティの地位は強化されたが、シティ特有の閉鎖的で特権的なジェントルマン的文化は消滅したといわれる。

だが、このロンドン・シティの経済的繁栄は、二〇世紀後半に始まったのではなく、その起源は、シティの要《かなめ》に位置するイングランド銀行が設立された一七世紀末、一六九四年にまでさかのぼることが可能である。本書第2章で言及するように、近代イギリスの政治経済的勃興は、産業革命以来の製造業の台頭・発展よりも、むしろシティの世界的な影響力の拡大に依存していた、とする学説も提唱されるなかで、あらためてシティの金融サーヴィス部門とイギリス帝国、イギリスの海外膨張との緊密な関連性が問われている。

さらに、シティ業務の拡張とグローバル化の進展は、ヒトの移動(移民)の面でもロンドンをコスモポリタンなグローバル都市に変容させている。現代のロンドンで、若い世代に人気があるストリートマーケットは、シティ東端のリヴァプール・ストリート駅近くのロンドンの下町、かつての貧民街イースト・エンドの一角にある、ブリック・レーンである。ブリック・レーンは、庶民による庶民のためのマーケットで、日用雑貨や中古品が格段に安い価格で手に入る。それ以上に人気を高めているのが、この一角に集中して立地するインド系のエスニックレストランの存在で、ロンドンで安価な本場のインドカレーを味わうことができる。筆者も友人に連れられて訪れて以来、頻繁に利用している。

世界の金融センターのすぐ隣に、一九世紀から、貧民街イースト・エンドが存在したこと自体ユニークであるが、現在のイースト・エンドの住民のかなりの部分は、第二次世界大戦後に旧植民地である南アジア、とくにパキスタンやバングラデシュから本国イギリスに移住した人々およびその子孫である。ブリック・レーンの一角には、イスラム系移民のためのモスクも存在する。彼らは、経済的豊かさと働き口を求めて、第二次世界大戦後に存続した帝国＝コモンウェルスの特権、「イギリス帝国臣民」（British imperial subjects; Commonwealth citizenship 第2章参照）の地位を利用し、優遇措置を受けて定住した労働移民である。

一九六〇年代にアフリカ大陸の旧イギリス植民地が相次いで独立すると、アフリカ現地人政権による政治的・経済的な迫害と不当な差別待遇を恐れて、東アフリカのケニア、ウガンダ、タンザニアに居住したインド系住民は、難民として大量にイギリス本国に流入した。彼らインド系の「帝国臣民」は、現地東アフリカ社会において、商業・流通網を支配して経済的利益を独占するとともに、プランテーションの経営代理商や下級官吏として、イギリスの東アフリカ植民地支配を支える中間的立場にあった。識字率も高く教育熱心な東アフリカからのインド系難民は、イギリス社会においても小規模小売業やサーヴィス業で活躍し、富を蓄えて事業を起こし、弁護士や医師など、高度な専門職業人として社会的に成功する人々も多数輩出している。

その結果、現代のイギリスでは、約二五〇万人強の南アジア系コミュニティが形成されている。マサラカレーが、イギリスを代表する料理として選ばれるのは、こうした事情による。

戦後イギリスに労働移民として移住したのは、南アジア系だけではなく、最初は西インド諸島から、その後は西アフリカ各地の旧植民地からも移民が到来した。これら移民を受け入れる過程で、労働党政権により一九七〇年代に多文化主義教育が導入された。イギリスの製造業が衰退・斜陽化するなかで、彼ら有色人移民は職を失い、さまざまな差別的待遇にさらされ、一九八〇年代には人種暴動も頻発した。二〇一一年夏の騒動は、記憶に新しい。

だが、社会の基調として、多文化主義は維持されており、多様なエスニック集団の存在は、現代イギリスの経済・社会に新たな活力をもたらしている。とくに、現代のロンドンの文化的活力やシティのダイナミズムの一端も、植民地・帝国支配から引き継いだイギリス特有の多文化主義の影響を受けている。サッチャー時代に導入された、イギリス政府の外国直接投資優遇策、開放的資本導入政策も、ロンドンがグローバル化するうえで大きな役割を果たしたといえる。こうした文脈に位置づけることで、タタ・モーターズのジャガー・ランドローバー買収戦略も、初めて的確に理解できるであろう。

4　本書の目的

本書は、一八世紀から二〇世紀末までのイギリス帝国の歴史を考えることを通じて、世界史の新たな解釈を提示するささやかな試みである。

二〇〇一年九月一一日のいわゆる同時多発テロ事件と、その後のアメリカ合衆国による対テロ戦争の遂行とその行きづまりのなかで、アメリカを帝国として論じる「アメリカ帝国論」が数多く出版された。しかし、そうした議論の多くは、国際関係論や国際政治学の専門家によってなされているため、歴史的な実態が軽視され、理論的な枠組みでの「空中戦」に終始しているといわざるをえない。あらためて世界史における帝国の歴史を振り返るなかで、アメリカを中心に語られる現代世界の成り立ちを考察する必要があろう。

その際に、数多くの比較検討の素材を提供してくれるのが、イギリス帝国である。イギリス帝国は、近代世界において最大の帝国であり、世界の陸地の約四分の一を領土として支配した経験を持つ。その影響力は、カナダ、オーストラリア、英領インド、香港などの公式の植民地だけにとどまらず、圧倒的な経済力の行使を通じて、中国、ラテンアメリカ、オスマン帝国などの「非公式帝国」(第2章第2節参照)にも及んだ。さらに、その帝国を基盤にして、一九世紀半ば以降のイギリスは、世界のヘゲモニー国家(覇権国家)になった。そのヘゲモニー国家としての地位を二〇世紀後半に引き継いで現在にいたったのが、アメリカ合衆国である。

ところで、一八世紀末以降のイギリス帝国は、アメリカの政治的独立(脱植民地化)にともない、環大西洋地域からアジア太平洋地域へと、支配領域の重点を移してきた。その中心に位置したのが、南アジアの英領インドである。英領インドは一八世紀末から、「アジアの三角貿易」を通じて中国(清朝)とも密接な経済関係を築き、その貿易ルートの要としてシンガポール(のちの英領海峡植民地)が獲得された。こうして一九世紀以降のイギリス帝国には、非公式帝国地域を含めると、二〇世紀後半からの東アジアの経済的再興、世界銀行が一九九〇年代前半に提唱した「東アジアの奇跡」をになう主要な諸国、中国本土、香港、シンガポール、マレーシア、インド、タイなどが包摂されていた。したがって本書では、とくにこれらアジア諸国と帝国=コモンウェルスとの関係に注目したい。

以下、本書では一八世紀から二〇世紀末までのイギリス帝国の形成・発展・解体の過程を、時代を追いながら、三つの時期（長期の一八世紀、一九世紀、二〇世紀）に分けて考察する。「長期の一八世紀」とは、第1章でも説明するように、本来は一六八八年の名誉革命から一八一五年のナポレオン戦争終結後までの、イギリス国内史特有の時期区分である。その際に、イギリス本国の動きだけでなく、帝国の広がりと拡張にしたがって、公式の植民地となった諸地域の対応と動向を重視したい。さらに一九世紀中葉以降は、非公式帝国とイギリスのヘゲモニーにも言及し、地球的規模でのイギリスの影響力を考察する。

ところで、従来のイギリス帝国をめぐる研究では、イギリス本国による帝国諸地域への政治的・経済的な支配の側面が強調されてきた。支配‐従属関係に規定される垂直的な上下関係、一九世紀末からのいわゆる帝国主義の時代における経済的搾取が、批判の対象となった。もちろん、そうした支配‐従属関係が、帝国の歴史を大きく規定した不可欠で重要な要素であったことは否定できない。帝国支配に対する反発と抵抗は、早くも一八世紀末には、白人入植者によるアメリカ独立革命を引き起こし、帝国体制の再編を余儀なくした。アジアにおいては、第一次世界大戦後に高揚したナショナリズムの動きが、第二次世界大戦でさらに刺激され、植民地解放闘争をともないながら展開し、一九四〇年代後半の南アジア諸国の政治的独立（脱植民地化）につながった。アフリカは少し遅れて、一九六〇年代に一気に脱植民地化が進んだ。

以上の歴史的展開を前提にしつつ、本書では、イギリス帝国が有した別の側面に光を当ててみたい。

イギリス帝国は、内外のさまざまな国家や人々に多様な機会、活躍の舞台を提供してきた。本国では、資本家に加えて、労働者階級や貧しい庶民も、日常生活を通じて帝国各地から輸入される安価な茶、砂糖、綿布を消費していた。また帝国諸地域でも、現地の商人たちは、イギリスがつくりあげた自由貿易制度の枠組みを活用して商売ができたし、英語教育を受けた植民地のエリート層は、下級の官僚や弁護士などの専門職として活躍する機会を得た。さらに、日本に代表されるアジアの新興諸国も、自由貿易制度や基軸通貨としてのポンドなど、イギリス帝国が提供するさまざまな便宜を、自国の利益のために主体的に活用することができた。

本書では、このようにさまざまな勢力と人々によって「利用されたイギリス帝国」の実態を考察するなかで、帝国をめぐるさまざまな相互作用、関係性を明らかにしていきたい。

近年の歴史研究において、世界の諸地域のつながり、関係性を重視する新たな世界史解釈、グローバルヒストリーが注目されている。本書では、イギリス本国と帝国諸地域との関係性、さらに帝国を超えて行使されたヘゲモニー国家としてのイギリスの影響力に着目して、グローバルヒストリーを構築する「ブリッジ」としてのイギリス帝国史の意義を考えてみたい。

第1章　環大西洋世界と東インド——長期の一八世紀

1　イギリス帝国の起源

アイルランドから大西洋世界へ

イギリス帝国の起源をどこに求めるかは、帝国の定義にもかかわる難しい問題で、すぐに答えを見出すことはできない。

大航海時代末期の一五八八年に、エリザベス一世の指令を受けて、ドレイクが率いるイングランドの艦隊がスペイン無敵艦隊（アルマダ）を撃破したことは、ヨーロッパ世界におけるイングランドの台頭のきっかけにはなったが、本格的な海外への進出と勢力拡張にはまだ程遠い状況にあった。海軍と海賊（私掠船《しりゃくせん》）との区別も曖昧《あいまい》なままに、冒険的商人層が大西洋におけるスペインの支配権に個別に挑戦を試みていた、というのが実態であった。

そうした状況において、イギリス帝国の起源と海外への膨張の契機は、ブリテン島の西に隣接するアイルランド・アルスター地域（現在の北アイルランド）に対する、イングランドとスコットランドからの入植・定住が本格化した一七世紀前半に求めるのが妥当だろう。天候不順、不作、食糧不足などによる「一七世紀の全般的危機」の不況下で、新たな活路と土地を求めて、アイリッシュ海によってブリテン島と隔てられたアルスターには、一六四一年までに約三万人がスコットランドから入植した。彼らスコットランド人入植者たちは、中世末期以来、現地において支配的な地位を占めていたイングランドからの入植者との共存をめざした。彼ら入植者の間では、現地のカトリック勢力に対抗して「ブリティッシュ」（the British）という共通の意識とアイデンティティが育まれた。

こうしたブリテン島からアイルランドを経由した西方への勢力拡張は、大西洋世界のアメリカ大陸、西インド諸島への進出につながった。現在でも、地理的には、北米大陸の東海岸とアイルランド島とは非常に近く、アイルランド西部のシャノン国際空港は、首都のダブリン以上に北米航空路の結節点として多くの利用客がある。アイルランド島への植民活動は、のちの大西洋をまたいだ海外進出の先駆けとなり、アイルランドはブリテン島から海外に出ていく諸活動の実験場になったのである。

一六〇七年にはヴァージニア会社により、北米大陸にジェイムズタウンが建設された。一六二〇年にはピルグリム・ファーザーズと呼ばれたピューリタンたちが北米にわたり、ニューイングランドでの諸植民地の基盤を形成した。

ピューリタン革命の最中の一六四九年八月に、オリヴァ・クロムウェルを司令官とするイングランドの議会派の軍隊はアイルランドのダブリンに上陸し、翌年五月まで、反乱鎮圧を名目に各地で多くの住民を虐殺した。五二年八月のアイルランド土地処分法、五三年九月の償還法によって、アイルランドでの反乱に参加した者やカトリック地主の土地が大量に没収され、それらの土地は、反乱鎮圧に資金を提供したロンドン商人や、プロテスタント地主の手に渡り、アイルランドの事実上の植民地化が進んだ。

また、一六五五年の同じくクロムウェルによる西インド諸島のジャマイカへの艦隊派遣と占領は、イングランド国家が大西洋を越えて軍事力を本格的に行使した最初の事例である。

一六六〇年の王政復古以降、大西洋世界への進出は本格化し、バルバドス島をはじめとするカリブ海の植民地には、イングランドからの移民が入植し、砂糖プランテーション農園が開発された。その発展が、のちに食糧・木材資源の供給地として北米諸植民地の存続を支えることになった。

さらに、一六七二年に設立された王立アフリカ会社は、西インド諸島における労働力（黒人奴隷）を確保するために、西アフリカ沿岸地域（ガンビア、ゴールドコーストなど）で奴隷貿易に従事し、のちの一八世紀に本格的に形成される大西洋をまたぐ植民地間貿易網、「大西洋の三角貿易」の原型がつくられた。

アジアとの交易——東インド会社の設立と銀の流通

アジアとヨーロッパをつなぐ遠隔地交易でも、一六―一七世紀に新たな発展が見られた。一六〇〇年に結成されたイギリス東インド会社の活動がそれである。イギリス東インド会社は、東地中海方面でアジアからの東方物産の輸入に従事していたレヴァント会社（一五九二年結成）を引き継ぐかたちで、すぐにイングランド最大の特許会社となった。

初期のイギリス東インド会社の活動については、K・N・チャウドリの優れた研究があり、それによれば、同社の初期の業務は、ヨーロッパで需要が拡大した東インド物産（胡椒《こしょう》、香辛料、綿織物）の輸入が中心となった。だが、一六〇二年に結成されたオランダ東インド会社との競争に巻き込まれて、イギリス東インド会社は苦戦を余儀なくされた。オランダ東インド会社はイギリス東インド会社の一〇倍以上の資本金を有し、東南アジアのマラッカ、バタヴィアや、東アジアの台湾島の台南、日本の平戸《ひらど》等、各地に商館を開設して、アジアとの交易で優位に立った。

当時、アジアからの物産の購入に充てるためには、イングランド産の毛織物（従来の厚手に代わる薄手の新毛織物）はまったく輸出品として役に立たず、新大陸からヨーロッパにもたらされる銀塊を交換手段とするしか方策がなかった。その銀塊の輸出量を抑えるために、イギリス東インド会社やオランダ東インド会社などヨーロッパに本拠を置く独占貿易会社にとって、南アジア・東南アジア・東アジア諸地域をつなぐ「アジア域内交易」（the country trade）への参入が不可欠になった。一六－一七世紀初頭まで世界有数の銀産出国であった日本との交易は、特別の魅力があった。

ところで、近年のグローバルヒストリー研究において、銀がつなぐ世界史の探究が注目を浴びている。その代表的な論客がアメリカのD・フリンである。フリンが「銀の世紀」と呼ぶように、一六世紀は世界的に見て銀の流通量が飛躍的に伸びた時期であり、その背景には、スペイン領アメリカにおける銀山開発があったことはよく知られている。

しかし東アジアについて見た場合、一六世紀前半の東アジアにおける銀の時代を本格的に切り開いたのは、スペイン領アメリカの銀というより、むしろ日本の銀であった。フリンは「銀の世紀」において一大銀産出国であった日本に着目し、日本銀の輸出の世界史的意義を考察することで、日本史（日本経済史）を組み込んだ、新たなグローバルヒストリーの構築を模索している。

一六世紀初頭、東アジアの朝鮮半島の端川《たんせん》銀山で本格的な開発が始まり、朝鮮半島で産出

図３　石見銀山・龍源寺間歩　間歩（まぶ）とは坑道のこと。石見銀山遺跡とその文化的景観は、2007年に世界遺産に登録された。龍源寺間歩は約270メートルが一般に公開されている（大田市観光協会提供）

した銀は密貿易で中国や日本に運ばれた。だが、一五三〇年代に日本各地の戦国大名によって、灰吹法《はいふきほう》など新たな精錬技術が朝鮮から導入され、積極的な鉱山開発がおこなわれた結果、日本銀の産出量は急増し、それらは朝鮮や中国に送られるようになった。その代表例が、二〇〇七年にユネスコ（国連教育科学文化機関）の世界文化遺産として登録された、島根県中部に位置する石見《いわみ》銀山であった。一六世紀半ばから一七世紀初めに、日本は世界の銀生産の約三分の一（年間二〇〇トン）を産出し、石見銀山は日本最大の銀山であった（図3）。

しかし、当時の朝鮮や中国は海禁《かいきん》政策（鎖国・貿易統制）を実施しており、民間貿易を厳しく制限していた。中国国内の銀需要と日本における銀産出の急増という環境のもとで、両地域の取引を阻んだ海禁政策を突き崩したのが、倭寇《わこう》と呼ばれた、さまざまな地域の人間で構成された密貿易集団であった。彼らが海賊行為とともに、日本の銀を中国にもたらす役割をになったことから、この地域の銀不足は徐々に回復されていった。

一六世紀中葉になると、明朝は海禁政策を緩和し、北方勢力との停戦を進めて交易を活発化させていった。そのなかで、ヨーロッパ勢力が東アジア内の貿易活動に積極的に関与してくるようになった。

とくに、マカオと長崎を結ぶ交易で、日本の銀と中国の生糸の取引を掌握したポルトガルは莫大な富を得ることができた。また、スペインも一五七一年にマニラを建設し、そこを訪れた中国・福建《ふっけん》商人との間で、中国の奢侈品《しゃしひん》と太平洋を越えて送られてきた銀（密貿易を含む）を交換して富を得ていた。新大陸の太平洋岸の港町、メキシコのアカプルコとマニラを結ぶ、ガレオン船交易がそれである。年間、約二五—三〇トンのアメリカ大陸銀が、太平洋を横断してマニラに運ばれたと推定されている。一六世紀のスペイン領アメリカと日本で産出された銀は、あらゆる経路をたどって最終的には中国大陸に吸収され、この時期の中国は「世界の銀の終着点」となった。

アジアの大航海時代

イギリス東インド会社は、競争相手であるオランダ東インド会社とともに、当初の目的であった東南アジア産の香辛料獲得を通して、結果的に銀流通を中心に展開されていたアジア域内交易のネットワークに新規に参入することになった。

近世後期のアジア域内交易に関しては、近年、桃木至朗を中心とする海域アジア史研究の分野で急速に研究が進んでいる（桃木至朗編『海域アジア史研究入門』岩波書店、二〇〇八年）。そこでは、中国商人による中国生糸と日本銀の交易、オランダ東インド会社によるインド産の生糸・絹・綿織物と日本銀・中国金の取引など、新たな交易が注目されている。

イギリス東インド会社もアユタヤ（シャム）、パタニ（マレー半島）、平戸に商館を構えたが、いずれも実績をあげることはできず、一六二三年に東南アジアのモルッカ（マルク）諸島のアンボイナ（アンボン）でオランダ東インド会社との武力抗争に敗れたのちに閉鎖された。その間、一六〇〇年に豊後《ぶんご》に漂着したオランダ船リーフデ号のイングランド人航海士ウィリアム・アダムズ（日本名、三浦按針《みうらあんじん》）は、徳川家康に外交顧問として仕えて日英交流の先駆けとなった。その後のイギリス東インド会社の活動は、主要なアジア交易の本拠地を南アジアに移し、キャラコやモスリンといったインド産綿織物と、中国からの茶の輸入に特化するようになった。

東インド産の綿織物は、一六一三年に初めてイギリス東インド会社によってイギリス本国に輸入された。一七世紀後半にキャラコ、モスリンなどは、肌触りのよさ、鮮やかな染色と洗練されたデザインの舶来品として、上中流のジェントルマン階層だけでなく、一般庶民の間でも人気を博す商品となり、イギリス東インド会社が取り扱ったアジア物産のなかで主力商品となった。当時のイギリスを含むヨーロッパ諸国において、インド産綿織物は、ファッショナブルな最新流行の織物、衣服の素材としてもっとも人気を博した商品（モノ）であっ

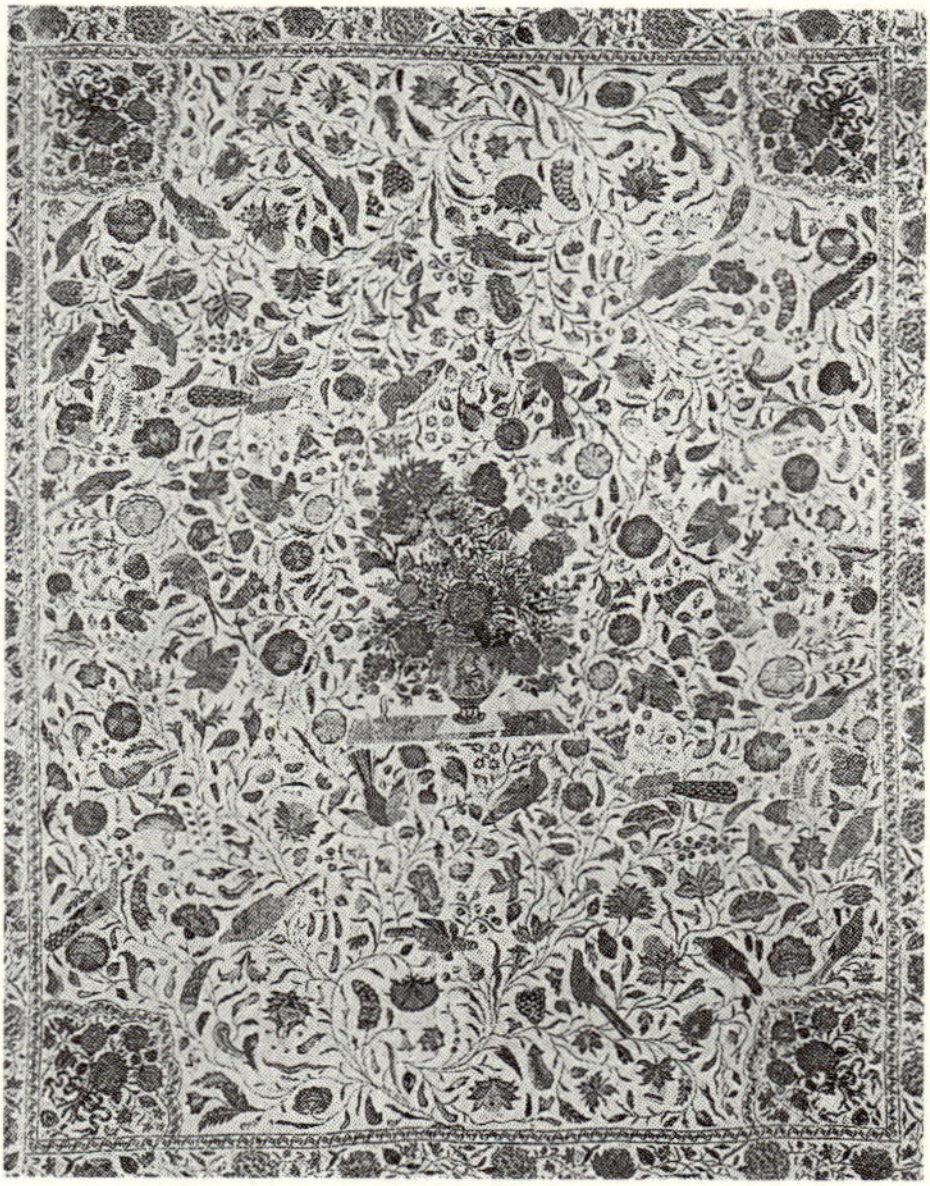

図4　18世紀のインド産綿織物　キャラコ、モスリンなどの綿織物は、インディゴで染色されるか、鮮やかなプリント（捺染）が施され、ヨーロッパでも圧倒的な人気商品となった

た。まさに、「豊かなアジア」を代表する商品として、広範な社会層に愛好されたのである（図4）。

以上の考察から明らかなように、一七世紀のヨーロッパで設立された独占的貿易会社は、人気があったアジア物産（綿織物、陶磁器、茶など）を有利な条件で入手することにしのぎを削った。一五世紀後半から一七世紀前半までの東南アジア・東アジア海域世界は、アンソニー・リードによれば、アジア商人が優位に立ち、遠隔地交易がさかんに展開された「アジアの大航海時代」であった。その「豊かなアジア」に依存し、乗っかるかたちで交易を展開したのがヨーロッパ各国の東インド会社群であった。

この時点で、ヨーロッパ勢力による領域的活動は、アジア各地で交易拠点を確保することに限定されていた。イギリス、ヨーロッパの商人層が、既存のアジアの交易ネットワークに参入し、それを活用・利用する段階であった。アジア交易では、アジア側が明らかに優位に立っていたのである。

イギリス革命の政治的変動を乗り切ったイギリス東インド会社は、一六八八年の名誉革命以降、一六九四年に設立されたイングランド銀行や、一七一一年に設立され一三年にスペイン領中南米植民地への奴隷の独占的供給権（アシェント）を獲得した南海会社とならんで、イギリスの「財政革命」を支える有力な機関となった。

2　商業革命とイギリス帝国——西インド諸島と北米植民地

イギリス商業革命の展開

一八世紀のイギリス帝国は、当初、北米植民地、西アフリカ、西インド諸島（カリブ海諸地域）とブリテン諸島からなる大西洋を囲む諸地域（環大西洋世界）を中心として構成された。最初に、この環大西洋世界に展開したイギリス帝国の構造を、モノのやりとりを主体とする貿易・通商関係から考察してみたい。

一八世紀のイギリス帝国形成の原動力になったのが、一六六〇年の王政復古から一七六〇年代のアメリカ独立革命にいたる約一世紀間に起こったイギリスの貿易構造の大きな変化であった。イギリス経済史研究の大家、R・デイヴィスはこの変動を「商業革命」と名づけた。日本では川北稔が、その構造と特徴を明らかにしている。通常、商業革命という名称は、一六世紀の大航海時代におけるスペイン、ポルトガルによる海外交易の拡大に対して使用されるが、一八世紀のイギリスではさらに大規模な変化が見られたのである。

イギリス商業革命の特徴として、三つの点を指摘できる。

第一に、イギリスの海外貿易額の大幅な増大が見られた。総輸出額は、一八世紀初めの六四二万ポンドから一七七〇年代初頭には約二・五倍の一五六七万ポンドに増大し、総輸入額も五八五万ポンドから一二七三万ポンドにほぼ倍増した。近世ヨーロッパの経済が相対的に停滞するなかで、イギリスの輸出入の伸びは際立っていた。

第二に、貿易相手地域が大きく変わった。伝統的な貿易相手地域であったヨーロッパ大陸に代わって、非ヨーロッパ世界の比重が急激に上昇し、一七七〇年代になると、南北アメリカ大陸（新世界）とアジア諸地域が、全ヨーロッパを凌駕《りょうが》して貿易額の過半を占めるにいたった。

第三に、貿易商品の構成に根本的な変化が見られた。まず輸出面では、従来のイギリスの主力輸出品であった新毛織物に代わり、毛織物以外の絹・綿などの織物、ガラス、皮革、石鹸《せっけん》、紙、ロウソク、金属製品など、日常生活に必要な雑多な工業製品（消費財）の輸出が増加し、一七七〇年代には総輸出額の四分の一強、国内産品輸出の半額を占めて、主に非ヨーロッパ世界に輸出された。この過程で、毛織物業以外の多様な雑工業生産の基盤が形成された。また輸入面では、新大陸からの砂糖、タバコ、コーヒー、アジア方面からの綿織物、絹織物の輸入が激増し、同時にこれら舶来物産のイギリスからの再輸出が急増した。再輸出額は一七七〇年代までに三倍以上に増え、五八二万ポンド、総輸出額の約三分の一に達した（図5）。

図5　商業革命の展開　　（単位：1,000ポンド）

年	L 1640	L 1663/69	L 1669/1701	E 1699/1701	E 1752/54	E 1772/74
a′ 毛織物	(1,107)	1,512	2,013	3,045	3,930	4,186
a″ 非毛織物	(27)	222	420	538	2,420	4,301
a 製　品	(1,134)	1,734	2,433	3,583	6,350	8,487
b′ 穀　物	(17)	1	59	147	899	37
b″ 非穀物		61	79	341	519	535
b 食料品	(17)	62	138	488	1,418	572
c 原　料	(35)	243	202	362	649	794
A 国産品輸出計	(1,186)	2,039	2,773	4,433	8,417	9,853
B 再輸出計	(76)	—	1,677	1,986	3,492	5,818
総輸出額 (A+B)	(1,262) 1,346	—	4,450	6,419	11,909	15,671
総輸入額	1,941	3,495	4,667	5,849	8,203	12,735

〈注〉A＝a＋b＋c。（ ）内はイギリス人のみによる取引。Lはロンドン港のみ。Eはイングランドとウェールズ。

〈出典〉R. Davis, 'English Foreign Trade, 1660–1700', *Econ. Hist. Rev.*, 2nd ser. vol. Ⅵ, 1954; id., 'English Foregin Trade, 1700–1774', *Econ. Hist. Rev.*, 2nd ser. vol. XV, 1962／川北稔『工業化の歴史的前提』岩波書店、1983年

この一八世紀における海外貿易の拡大、イギリス商業革命は、植民地物産の輸出入をイギリス（イングランド）の船舶にのみ限定し、その独占をはかった一六六〇年代の航海法と、植民地帝国によって支えられていた。

イギリスは一七世紀末の名誉革命以降、一八一五年までの一世紀以上にわたって、断続的にフランスと植民地・海外市場の争奪戦を展開していた。この戦いは「第二次英仏百年戦争」とも呼ばれる。

一七〇一－一三年のスペイン継承戦争に付随したアン女王戦争の帰結としてのユトレヒト条約（一七一三年）で、スペインからは地中海への入り口で戦略上の要衝ジブラルタルと奴隷の独占的供給権

（アシェント）を、フランスからは北米のハドソン湾とニューファンドランドを獲得した。

一七五六―六三年の七年戦争にともなうフレンチ＝インディアン戦争では、優位に戦局を展開し、仏領のカリブ海諸植民地（西インド諸島）やセネガル、スペイン領フロリダを占領、一七六三年のパリ条約により、フランスからカナダとミシシッピ川以東のルイジアナを獲得し、北米大陸からフランス勢力を駆逐した。さらに南アジアにおいても、一七五七年、プラッシーの戦いで勝利を収め、のちのインド植民地支配の基盤を築くことになった。

こうして大西洋を取り巻く諸地域（環大西洋世界）と「東インド」地域を含めたイギリス植民地帝国（第一次帝国）が姿を現した。イギリス商業革命は、こうした非ヨーロッパ世界における領土的膨張主義と並行して展開したが、その過程で、イギリス本国と環大西洋諸地域とを結ぶ貿易リンクが形成された。イギリス―西アフリカ―西インド諸島、イギリス―北米植民地―西インド諸島、イギリス―アイルランド―西インド諸島、以上「三つの三角形」がそれである。

大西洋の三角貿易――奴隷貿易

「三つの三角形」のなかでもとくに有名で、イギリス商業革命を主導したのが、イギリス―西アフリカ―西インド諸島を結びつけた「大西洋の三角貿易」であった。そこでは、西アフリカから西インド諸島への奴隷貿易、西インド諸島における奴隷制プランテーション（次項参照）での砂糖・棉花《めんか》生産、そのイギリスへの輸出が緊密に結びついていたが、その基軸は奴隷貿易であった（図6）。

ところで、二〇〇七年はイギリスの奴隷貿易廃止法案の成立（一八〇七年。第2章参照）から二〇〇周年にあたり、各地で記念式典や特別展が開催された。当時のイギリス首相トニー・ブレアが、黒人系雑誌とのインタヴューで、イギリスがかかわった奴隷貿易に対して遺《い》憾《かん》の意を表明したことが謝罪論争を引き起こすなど、現代においても奴隷貿易は論議の的となった。

この悪名高い大西洋の奴隷貿易に関しては、非常に多くの研究がなされてきた。イギリス・ヨーロッパへの輸出商品である砂糖を生産する労働力として、西アフリカ諸地域より西インド諸島とアメリカ大陸に、黒人奴隷が「商品」として「輸入」された。奴隷たちは、大西洋を越えるいわゆる「中間航路」の奴隷船にすし詰め状態で押し込められ、劣悪な衛生状態のため死亡率も高かった。たとえば、一六六二－一八〇七年（奴隷貿易廃止）のイギリス船では、約四五万人が輸送途上で死亡した（死亡率一三・二%）というデータがある。非人道的な大西洋奴隷貿易は、近世史における最大の強制的な労働力移動として知られている。

アメリカの奴隷貿易研究の第一人者F・カーティンは、一四五一－一八七〇年に約一〇〇

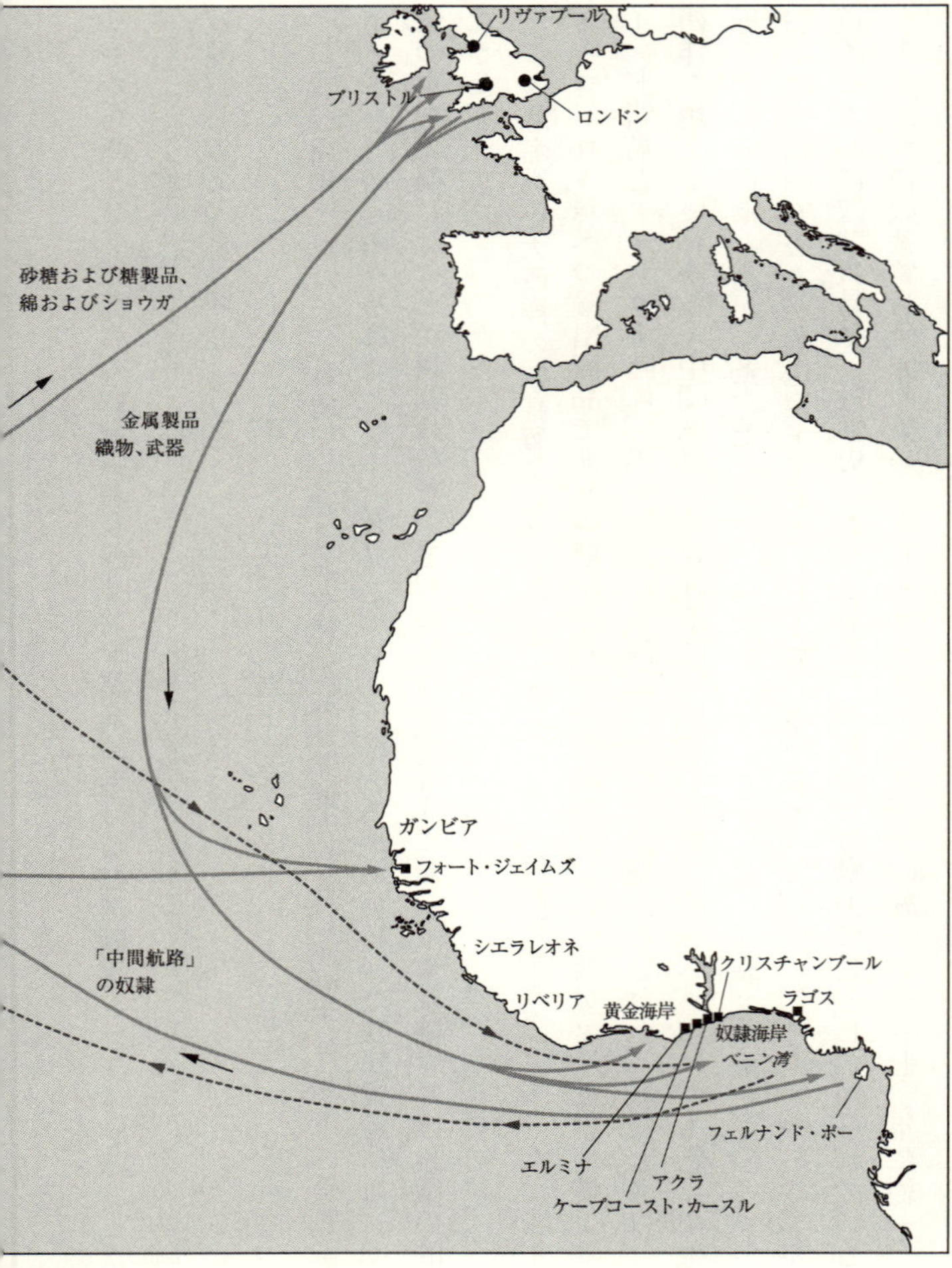
リヴァプール
ブリストル
ロンドン
砂糖および糖製品、
綿およびショウガ
金属製品
織物、武器
ガンビア
フォート・ジェイムズ
シエラレオネ
「中間航路」
の奴隷
クリスチャンブール
リベリア
黄金海岸
ラゴス
奴隷海岸
ベニン湾
フェルナンド・ポー
エルミナ
アクラ
ケープコースト・カースル

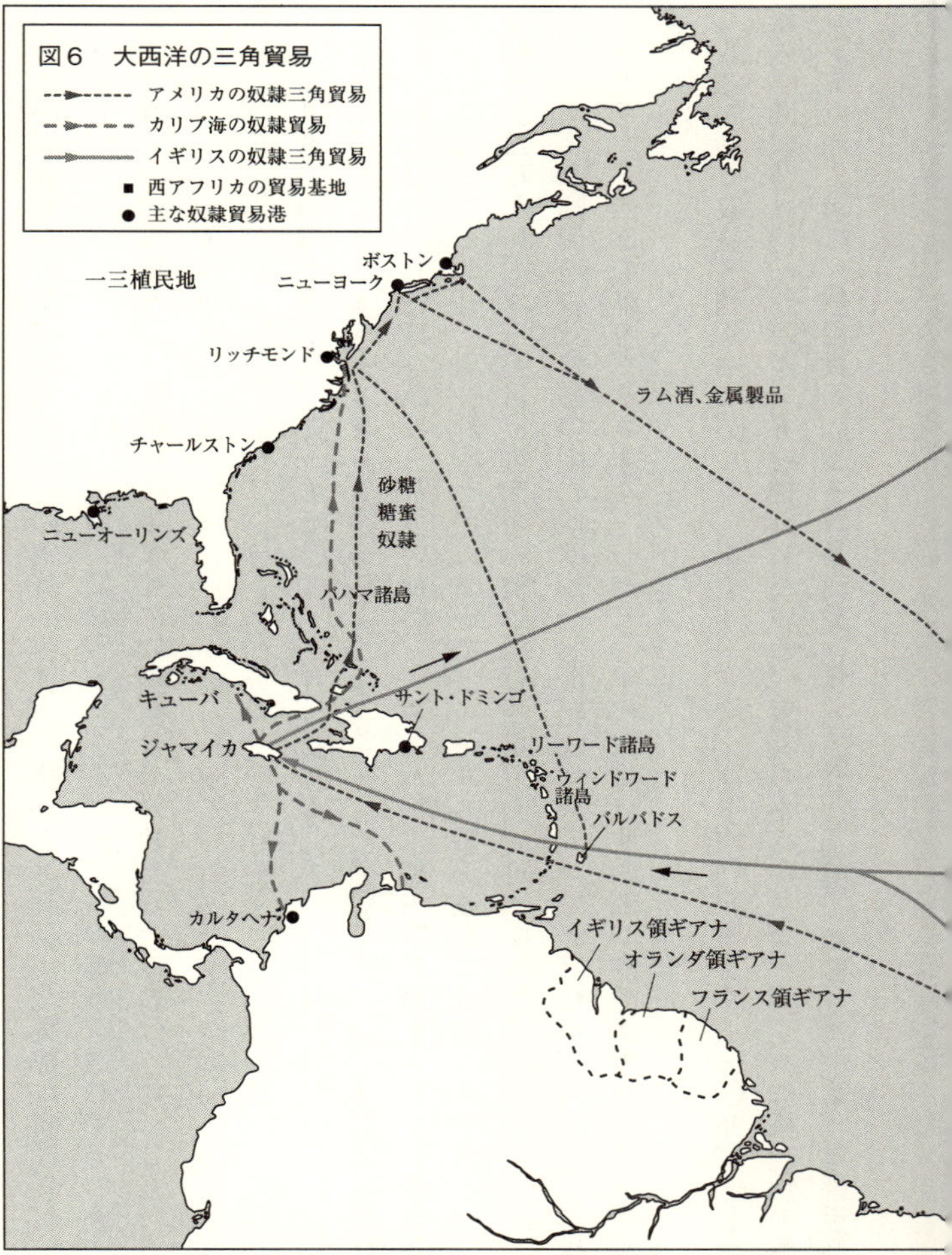

〈参考〉クリストファー・ベイリ編、中村英勝・石井摩耶子・藤井信行訳『イギリス帝国歴史地図』東京書籍、1994年

○万人が奴隷貿易の対象となり、その主流は西インド諸島とブラジル北東部に向けられた、と主張した。だが、近年の研究の進展、奴隷貿易のデータベースの構築を通じてその数字は修正され、一六世紀から一九世紀後半までに奴隷貿易の対象となったのは、約一二五〇万人とされている。D・リチャードソンは、一六六二―一八〇七年までに、イギリス船（北米植民地を含む）が三四〇万名強の奴隷（総数の約四分の一）を運んだ、と主張する。

イギリスの奴隷貿易には、(1)一六五〇―八三年、(2)一七〇八―二五年、(3)一七四六―七一年の三つの拡張期があったとされる。初期は、王立アフリカ会社（一六七二年設立）に代表される特許会社の独占権が認められていたが、一六九八年に独占権が廃止され、奴隷貿易は自由化された。一七〇〇―一八〇七年において、イギリス船が運んだ奴隷の約四分の一、すなわち八五万人が、スペイン・フランス領などの外国領土に向けられた。

イギリス本国側の奴隷貿易の中心地は、一七世紀はロンドンであったが、一七三〇年代にイングランド西部の港町ブリストル、一七五〇年代以降は北西部の港湾都市リヴァプールに移動した。

奴隷貿易の収益・利潤率に関して、リチャードソンは平均利潤率を八―一〇％、一七九〇年の年間収益は約一五万ポンドと推計している。貿易の中心がリヴァプールに移ったのちも、ロンドン商人層は、信用貸しによる貿易商品（雑工業製品や火器・武器）の供給、為替手形引受けを通じて重要な役割を果たし続けた。奴隷貿易の拡張は、奴隷入手の代価となる貿易商品（物産）の安定的供給に大きく依存していた。その交換商品のなかには、東インドから輸入され、アフリカに再輸出された南アジア産綿製品も含まれていた。

他方、奴隷供給源となった西アフリカ現地社会の側では、大半の奴隷が大西洋岸地域、とくに現在のナイジェリア南部のビアフラ湾地域から供給された。沿岸部における奴隷の供給は、アフリカ人現地エリート層とアフリカ人商人に大きく依存していた。現地アフリカ側の需要に見合う対価を支払わないかぎり、奴隷の安定的確保は困難であった。また、奴隷の価格も決して安価ではなく、それゆえ多くの商人が、アフリカで人気のあったインド産綿織物やドイツのリネン織物の調達に奔走していた。とくに七年戦争前後では、アフリカに再輸出するインド産綿織物が不足していたために、イギリス東インド会社はインド現地の商館に書簡を送り、アフリカ向けの綿織物を多く調達するように要請していた。この点で、のちに述べるように、大西洋奴隷貿易はアジアの東インド貿易と緊密に結びついていたのである。

フランス、ポルトガル、オランダ等の、他のヨーロッパ商人との奴隷獲得競争が展開された結果、一八世紀後半以降、西アフリカ・中央アフリカ諸地域で戦乱・暴力行為（奴隷狩り）が増幅され、現地アフリカの社会・政治構造に深刻な悪影響がもたらされた。

西インド諸島の奴隷制プランテーションの展開

この三角貿易の要の位置を占め、イギリス帝国経済の核として、一八世紀の環大西洋経済圏において決定的に重要な役割を果たしたのが、英領西インド諸島であった(図7)。

西インド諸島は、キューバ、ジャマイカ、エスパニョーラ島などの大アンティル諸島と、プエルトリコ島とベネズエラ北部の間に弧を描く小アンティル諸島から構成されるカリブ海の島々である。ジャマイカと小アンティル諸島の大部分は、英、仏、蘭、デンマークなどによる植民地獲得競争の舞台となった。われわれ日本人にはあまり知られておらず、現在では多くの小さな島国国家からなり、貧困にあえぐこの地域が、一八世紀の時点では、イギリス帝国にとって富を生み出す源として不可欠の地域であった。

英領西インド諸島は、砂糖、コーヒー、棉花、天然染料などを本国に供給し、大量のイギリス製品(雑多な各種工業製品)を消費したが、もっぱら砂糖(サトウキビ)生産の植民地として位置づけられた。そこでは、奴隷制の砂糖プランテーション、不在地主制が発展し、有力なプランター(農場主)の巨富がそっくりイギリス本国に移送された。

西インド諸島での砂糖生産は、一七世紀から本格化した。砂糖生産は収益性が高いものの、連作による地力の枯渇が著しいため、その生産は、新たな栽培地を求めて飛び石のように弓状に連なる島々に広がっていった。英領西インド諸島の繁栄のピークは、一八世紀中葉であり、バルバドス島やリーワード諸島など早期に開発された諸島の衰微と、ジャマイカの成長に特徴づけられた。

一七世紀のイギリス革命の際に、クロムウェル政権の遠征により獲得されたジャマイカでは、徹底的な砂糖の単一栽培（モノカルチャー）がおこなわれ、大規模プランテーションが展開した。現地では、サトウキビの栽培、刈り入れたサトウキビの搾汁《さくじゅう》、それを煮詰め蒸留し結晶させる粗糖の生産が連続的におこなわれ、初期のプランテーションは、農場と加工工場が結びついた農・工業複合体（agroindustrial complex）であった。

そこでは、限られた時間内に粗糖を生産するために、厳格な時間規律と、熟練労働者と黒人奴隷による未熟練労働者の有機的な結合が求められた。一八世紀末に本国で産業革命が起こり大規模工場の出現する前に、すでに西インド諸島では工業化に不可欠な、時間と労働の近代的な管理がおこなわれていたのである。

こうした大規模なプランテーション農場では、巨額の富が生み出された。たとえば川北稔の研究によれば、ジャマイカのプランターの収益は、一六七四―一七〇一年の平均で一九五四ポンド、一七四〇年代に七九五六ポンド、一七七〇年代には一万九〇〇〇ポンドに達したといわれる。現地で加工された粗糖は、ロンドン商人を中心とする委託代理商制度と手形決済制度を通じて本国に輸出された。

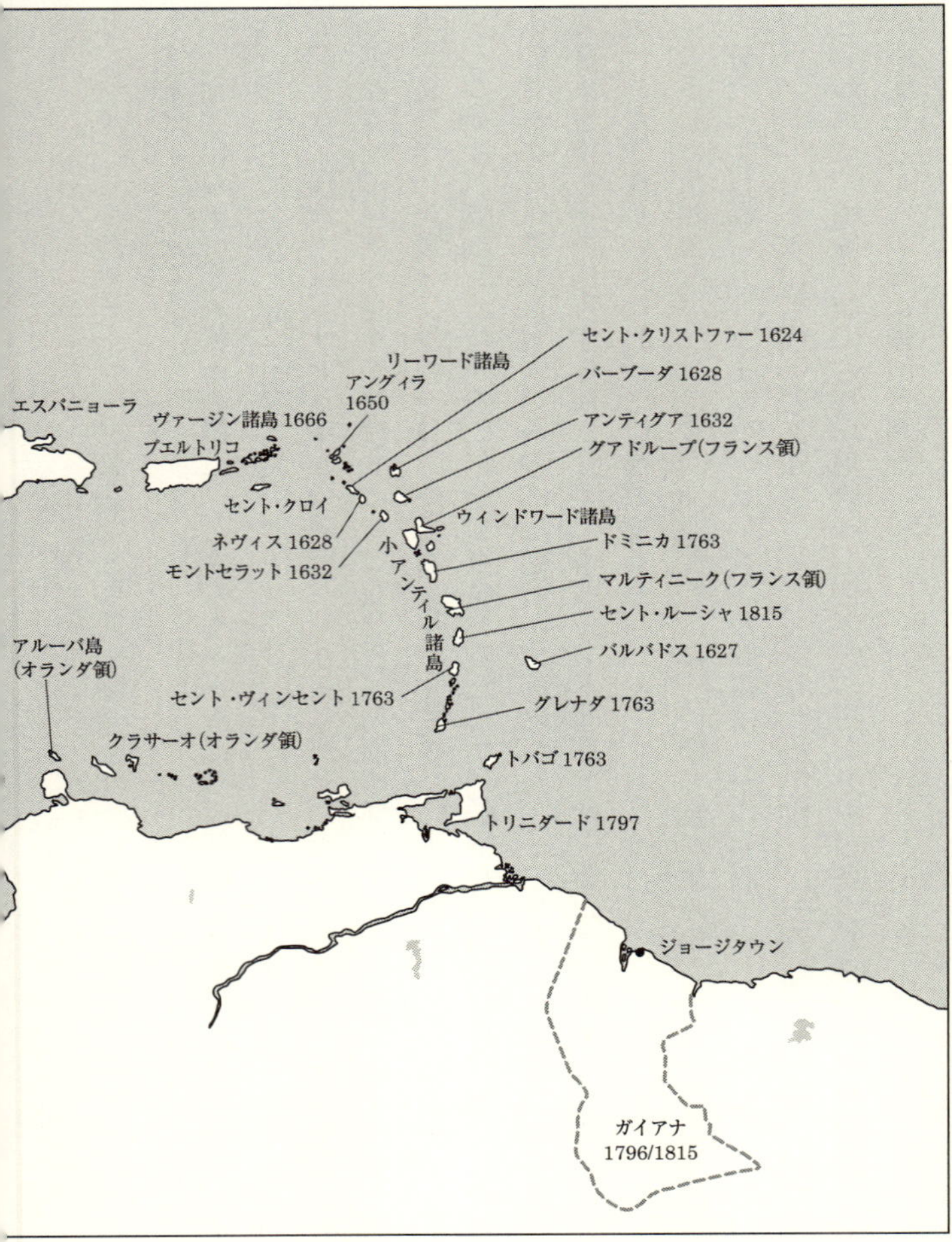

セント・クリストファー 1624
リーワード諸島
バーブーダ 1628
アングィラ
1650
エスパニョーラ
ヴァージン諸島 1666
アンティグア 1632
プエルトリコ
グアドループ(フランス領)
セント・クロイ
ウィンドワード諸島
ネヴィス 1628
ドミニカ 1763
小アンティル諸島
モントセラット 1632
マルティニーク(フランス領)
セント・ルーシャ 1815
アルーバ島
(オランダ領)
バルバドス 1627
セント・ヴィンセント 1763
グレナダ 1763
クラサーオ(オランダ領)
トバゴ 1763
トリニダード 1797
ジョージタウン
ガイアナ
1796/1815

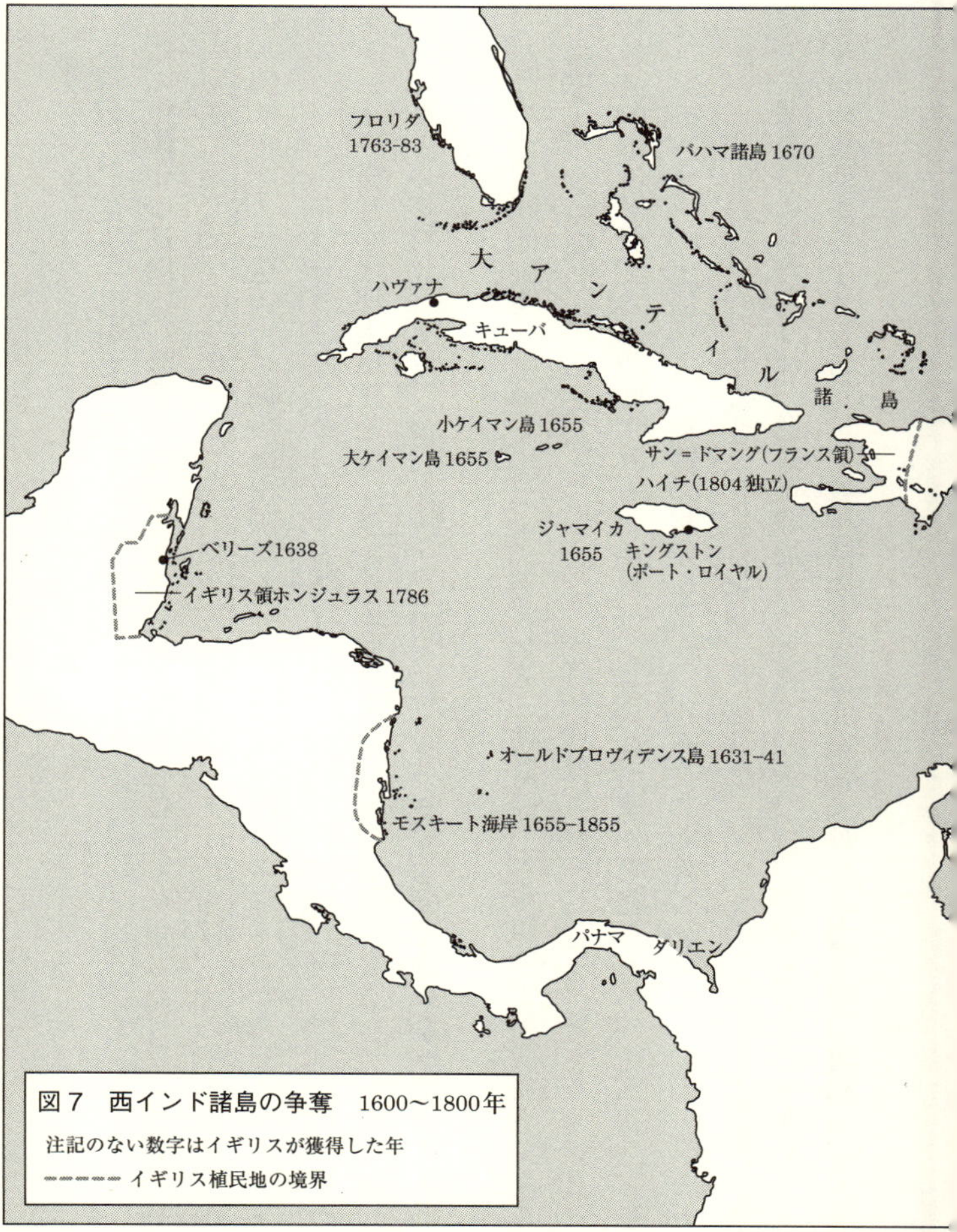

図７　西インド諸島の争奪　1600～1800年

注記のない数字はイギリスが獲得した年

イギリス植民地の境界

〈参考〉クリストファー・ベイリ編、中村英勝・石井摩耶子・藤井信行訳『イギリス帝国歴史地図』東京書籍、1994年

本国のジェントルマン社会と西インド諸島

この組織化の進展は、分業の促進とプランターの不在化をもたらした。熱帯地方の高温多湿な気候になじめず、子弟の教育問題に直面したプランターたちは、その子弟を教育のために本国イギリスに送った。彼らは本国において、パブリックスクールからオクスフォード、ケンブリッジ両大学へとつながる伝統的なエリート教育を受けた。その後も、現地のプランテーション経営を代理人に任せて、多くが本国にとどまり不在地主になったのである。有力プランターの不在化により、所得がそっくりそのまま本国に移送され、国内需要の一部をつくり出した。

ところで、近世以降のイギリス（イングランド）社会は、大規模な土地所有者である地主（土地貴族）が支配的地位を占めるジェントルマン社会であった。ジェントルマンとして高い社会的地位が保証され認知されるためには、莫大な財産から得られる不労所得と、独特なジェントルマン的生活様式や消費の規模と型が、不可欠の要件であった。

だが、川北稔の研究（『工業化の歴史的前提――帝国とジェントルマン』岩波書店、一九八三年）が明らかにしたように、商業革命期のイギリス社会では、所得の型では本来のジェントルマンの条件からはずれるが、消費生活の型では完全に条件にかなった「疑似ジェントルマン」(育ちよきジェントルマン)が生まれた。法律家、学者、軍の将校、官僚、聖職者、内科医など、教養と一定の専門知識を要する専門職(プロフェッション)は、一六世紀以来「ジェントルマン的職業」あるいは疑似ジェントルマンとして、近世のイギリス上流社会に、つねに一定の社会的流動性をもたらしていた。

不在地主制の展開過程で本国に移送された西インド諸島の富は、本国の上流社会で奢侈的な生活をおこなう新たなタイプの疑似ジェントルマンである「西インド諸島ジェントルマン」を生み出したのである。彼らは、本国議会で約四〇―七〇名に及ぶ西インド諸島派を形成し、帝国政策にも大きな影響力を行使したといわれる。西インド諸島は、イギリス本国上流社会のジェントルマン的性格を温存する安全弁ともなったのである。

現地での徹底した奴隷制プランテーションの展開と、本国での特権的なジェントルマン社会の再生産は、同じコインの表と裏として、同時に進行したのであった。

3　北米植民地とアメリカ独立革命

北米タバコ植民地の発展

環大西洋経済圏でのイギリス重商主義帝国は、三つの三角貿易によって支えられていた。

前述のイギリス―西アフリカ―西インド諸島を結ぶ大西洋の三角貿易とならんで重要であったのが、イギリス（スコットランドを含む）―北米植民地―西インド諸島をつなぐ北大西洋のもう一つの三角貿易であった。次に、この第二の三角貿易を考察してみよう。

北米大陸の植民地は、北部のニューイングランドや中部のニューヨーク、ペンシルヴェニアのように、主要輸出商品（ステープル）を持たない「無用な植民地」、あるいは本国産業と競合する商品を生産しかねない「危険な植民地」と、南部のヴァージニア、メリーランドなどのタバコ植民地、南北カロライナやジョージアなどのインディゴ（藍）や米を生産する植民地から構成されていた。第二の三角貿易にとってとくに重要であったのは、南部のチェサピーク湾地域のタバコ植民地であった。

南部といってもその舞台は地理的に意外に中部に近い。現在のアメリカ合衆国の首都ワシントン自体がメリーランドとヴァージニアに囲まれている。このチェサピーク湾沿岸地域は、一七世紀初頭の一六一七年にタバコという主要換金作物が見つかり、タバコブームが起こるなかで一六二四年に王領植民地になった。

この地域では、小規模のプランターが一般的であった。たとえば、一六九〇年代のメリーランドでは、プランターの七四・六％が資産総額一〇〇ポンド以下であり、年間所得は六〇―一〇〇ポンドであったといわれる。前述の西インド諸島ジェントルマン、とくにジャマイカのプランターの富と比べると、その規模は貧弱といえる。その大きな原因は、主要輸出商品としてのタバコと砂糖の性格の相違にあった(図8)。

というのも、砂糖は一八世紀半ばまでに本国の消費者にとって必需品になり、一六六三—一七七五年に国内での消費量は二〇倍に増えた。一八世紀だけでも、その一人当たり消費量は、四重量ポンドから一八重量ポンドにまで増大した。西インド諸島から輸入された砂糖の大半が国内で消費され、保護関税・航海法体制によって人為的な高価格で維持された。前述の西インド諸島利害関係者は、その政治的影響力をフルに行使して、英領西インド諸島産砂糖の価格操作に成功し、莫大な収益を確保したのである。

図8　モンティチェロのT・ジェファーソンの邸宅
第3代アメリカ合衆国大統領になったジェファーソンは、5000エーカーに及ぶ広大なタバコ農場と400余名の奴隷を父親から相続した、例外的に大規模なプランターであった(読売新聞社提供)

これに対してタバコのほうは、高品質ではあるが安価な未加工の乾燥葉のまま、いったんイギリス本国に輸入された。その輸入品の大半、八〇%以上がヨーロッパ大陸に再輸出された。その取引の中心地は、一七〇七年の合同法により連合王国（イギリス）に編入された、スコットランドのグラスゴーであった。一七二〇年代以降はフランス市場への再輸出が急増し、チェサピーク湾からの輸出の二三%、再輸出の二六%がフランス向けであった。タバコはもっぱら再輸出用の国際商品として、本国市場への依存度が極端に低かったのである。

英領北米植民地産のタバコは、西インド諸島産の砂糖と比べて国際競争力が高かったが、逆に国際市場で価格競争にさらされたために、その利幅と収益は相対的に低くなった。こうした主要輸出商品の性格の相違が、プランターが得る富の規模とその生活様式を大きく規定することになった。

タバコ・プランターと労働力の転換

北米植民地のタバコ貿易は、植民地側にイギリス本国製品に対する購買力を与えることになった。中小規模のプランターたちは、グラスゴー商人の仲介と信用の供与により、本国から輸入される生活必需品（雑工業製品）を購入・消費することができた。タバコの輸出収入の多くが現地で支出され、輸入されたイギリス商品は植民地人自身のために現地で利用された。この点でも、不在地主化が進み、所得が本国に移転された西インド諸島の場合とは事情が根本的に異なった。

本国側の雑工業製品の生産者にとって、北米タバコ植民地は、優位に立てる数少ない輸出市場であった。ヨーロッパ市場に十分な競争力、製品販売市場を持てなかったイギリス本国の雑工業製品は、高い国際競争力を持つ北米のタバコを介して、北米市場においてその輸出市場を確保することができた。タバコ貿易は委託代理商制を通じて、本国の雑工業製品に対する購買力と市場を提供したのである。

このタバコ植民地では、すでに述べたように小規模プランターにも生存の可能性があった。初期の一七世紀には、タバコ価格の下落による消費市場の拡大と、生産コストを削減する必要性から、労働力として白人の年季奉公人（次項参照）が使われていた。しかし、一七世紀末から一八世紀初頭にヨーロッパの再輸出市場が拡大するにつれて、英領西インド諸島の場合と同様に、黒人奴隷が大量に導入された。

この労働力の転換は、当初はアフリカからの黒人奴隷の輸入によってまかなわれたが、一七二〇年代以降は、現地北米植民地における黒人奴隷人口の自然増、ネイティヴの黒人（アフロ・アメリカン）の増大によって支えられた。北米におけるアフロ・アメリカン社会の形成が始まったのである。この黒人社会の形成と存続は、一九世紀に引き継がれて北米における人種問題、南北戦争の遠因となった。

北米移民と年季奉公人

次に、近世にヨーロッパから北米・新世界にわたった移民（ヒトの移動）をあらためて考えてみよう。

通常、ヨーロッパから新世界への白人移民は、自由意思でわたった自由移民と、不自由移民とに大別される。北部のニューイングランドに向かったピューリタンや、中部のペンシルヴェニアのクウェーカーなどは前者に属する。しかし、植民地時代の北米への移民の過半数は、後者の不自由移民であった。それは、渡航費や生活費を後援者に負担してもらう代わりに、北米のプランテーションで通常四年間の強制的労働に従事することを約束して北米植民地にわたった移民たちであり、移民研究において年季（契約）奉公人（indentured servants）と呼ばれる人々である。

最新の推計（和田光弘『紫煙と帝国――アメリカ南部タバコ植民地の社会と経済』名古屋大学出版会、二〇〇〇年）によると、一七世紀初頭から独立前夜（一六〇七－一七七五年）までの北米一三植民地への移民数は、自由移民二一万七九〇〇名（四六・一％）、年季奉公人二〇万二〇〇名（四二・四％）、流刑四五万四五〇〇名（一一・五％）の総計約四七万二六〇〇名とされる（アフリカから北米に強制移送された黒人奴隷数は三一万一六〇〇名）。何らかのかたちで自由を束縛されて大西洋をわたった白人は、二五万人強（五三・九％）に達していたのである。

この年季奉公人については、彼らがのちに成立する「アメリカ人」の中核を構成するために、主としてアメリカ史の文脈で論じられてきた。ここでは、川北稔の研究成果（『民衆の大英帝国――近世イギリス社会とアメリカ移民』岩波書店、一九九〇年）に依拠しながら、イギリス帝国史の一部として考えてみたい。

近世の年季奉公人の出自に関して、当時からさかんに議論がおこなわれてきた。一七世紀から二〇世紀中葉までは、年季奉公人＝最下層貧民説が支配的であった。イングランドで生きていけなくなった貧民、社会的な落伍者《らくごしゃ》たちが新大陸に送られたというのである。

だが、一九五〇年代になると貧民説は全面的に修正され、M・キャンベルが、北米移民の出自は農村のヨーマン（独立自営農民）や都市の熟練職人・商工業者層などの中産層であった、と主張するようになった。しかし、一九七〇年代になると、この中産層説はコンピュータによるデータ解析により再修正された。D・W・ギャレンソンは、約三万人に及ぶ六つの年季奉公人の出国調査をすべて用いたうえで、「一七世紀の男性年季奉公人は、イギリス社会のきわめて広範な部分の縮図を示している」と、結論づけたのである。

川北はこの研究をさらに深化させて、年季奉公人移民が、ギャレンソンが想定する以上に下層貧民に偏っていたと主張する。川北によれば、出国者調査の職業分布を詳しく見ると、「職業の記載なし」の集団がもっとも多かったが、この「職業の記載なし」は、たまたま職業を記載しなかったランダムな人々ではなく、「記載すべき職業がない＝社会的に独立した人格ではない」人々であった。近世のイギリスにおいて、それは家族（世帯）の従属的なメンバーとして扱われていた住み込みのサーヴァントに相当する。このサーヴァントの中核を構成したのが、農家に住み込んで一年単位の雇用契約で農作業に従事した農業サーヴァントと、商人や職人のもとでの徒弟であった。

ライフサイクル・サーヴァントから移民へ

近世のイギリスでは、大半の人間が十代後半から二十代にかけてサーヴァントの経験を持った。いわばそれは、人生における通過ステイタスであり、生涯その身分にとどまることもなかったという意味で、人口史研究では「ライフサイクル・サーヴァント」と呼ばれてきた。川北の研究によって、この若年のライフサイクル・サーヴァント層が、年季奉公人移民において最大のシェアを占めたこと、また彼らの多く（約四分の三）は、地方からロンドンに出て、さらに北米大陸に渡るという二段階移動、「地方から出てきて没落したロンドン人」（submerged Londoners）であったことが明らかにされた。「当時のイギリス社会は「貧民社会」であったし、北米への年季奉公人はそのなかでもまた、かなり下層に偏った構成をもっていた」というのである。

　さらに川北によれば、ライフサイクル・サーヴァントは、結婚を通じて新たな家族（世帯）を形成し、近代的な賃金労働者となる道筋への入り口に立つと同時に、失業し、浮浪者となり、ついには犯罪者となる、あるいは性的逸脱の結果としての私生児の出産と捨て子にいたる社会的な転落の道への岐路にも立たされていたことになる。一八世紀のイギリスでは、貧民の生き方として、失業、浮浪、物乞い、売春・窃盗などの犯罪行為、また軍隊への入隊など、さまざまな在りようが定着しており、年季奉公人として海外にわたることもその一つであった。

　当時、軽微な窃盗であっても、犯罪者は海外（当初北米、のちにオーストラリア）に流刑に処せられた。囚人移送法が施行された一七一八年からアメリカ独立直前の一七七五年までに、植民地流刑で処理された犯罪者の数は、総計五万人以上と考えられている。北米に送られた彼らも、一種の年季奉公人としてプランターに売られた。

　さらに、一八世紀の対仏重商主義戦争の過程で、数十万の貧民が海軍の兵卒として戦争に従事した。失業者や通過ステイタスである前述のサーヴァントから募集された兵卒層は、休戦と和平の到来により除隊となり、十分な経済的保障がないまま放り出されて、浮浪者・犯罪者の予備軍としてロンドンに向かった。彼らのうち、罪を犯した者はたとえ軽微であったとしても、「強制された年季奉公人」として北米植民地への流刑に処せられたし、そうなる前に食いつめた末の窮余の策として、自分の意思でサインして「任意の年季奉公人」としてわたった者も多かった。

以上のように、北米植民地にわたった白人年季奉公人は、現地社会では労働力としてプランターに歓迎された。しかし、彼らを送り出した本国イギリス側では、彼らは社会問題の種であったのであり、本国にとって北米植民地は、問題を解決する処理場（開放的な救貧院・刑務所）として機能した。本国イギリスは、社会問題をできるかぎり植民地に「輸出する」ことで解決しようと試みたのである。

生活文化のイギリス化

年季奉公人の移民の増加にともない、北米植民地は、一七四〇年代に前述の西インド諸島に代わって、イギリスの雑工業製品の最大の輸出市場になった。この北米植民地に輸出された雑工業製品や、植民地物産（タバコ）のイギリスを経由した再輸出は、現地アメリカ社会にいかなる影響を及ぼしたのであろうか。この問題を考えるには、イギリス本国と植民地の歴史を結びつけて考察する視点が不可欠であり、近年では、アメリカ植民地史をイギリス帝国史の枠組みでとらえる「新たな帝国史観」(New Imperial History) のT・H・ブリーンやJ・C・D・ポーコック、日本では川北稔らの見解が有力になっている。

この帝国学派の研究によれば、従来は閉鎖的で自立的であるとされた北米植民地でも、イギリス本国からの雑工業製品の輸入、茶や綿布などアジアからの物産の輸入を通じて、植民地人の生活習慣の「イギリス化」が広がったという。一七四〇年以降に北米に普及した輸入商品群として、茶、ティーカップ、ソーサー、スプーン、タオルなど紅茶に関連した商品群(紅茶コンプレクス)や、綿製品などの衣服類、書物やパンフレットなどの印刷物、食品など、イギリス的な文化生活を保証する生活物資をあげることができる。

イギリスの雑工業製品およびイギリス経由の世界商品が、北米現地のプランターや海外貿易商など植民地の上流階層の人々にとっては生活必需品になった。イギリス商業革命の展開によるタバコ、インディゴ、棉花などの主要輸出商品の輸出の増大にともない、経済力を高めていった彼ら植民地ジェントルマン層は、輸入したイギリス商品の消費を通して、生活文化がイギリス化していったのである。川北によれば、イギリス商品による生活の標準化が起こり、植民地人の意識そのものも、モノ(イギリス商品)を通じて規格化・統合されたのであった。

こうしたモノの移動を通じた緊密な経済関係の出現は、大西洋をまたぐヒトの移動を促した。主要輸出商品を有した南部植民地では、ロンドンやグラスゴーの商人に輸出品の売却とイギリス雑工業製品の購入を合わせて委任する委託制度が一般化した。タバコの青田買いによる信用の供与と、付け払い商品販売（ストア制度）を通じて信用の連鎖が成立し、植民地のプランターは本国の商人層に対して多額の負債を負うことになったのである。

この商人のネットワークに加えて、ピューリタン、クウェーカー、バプティスト、長老派や、カトリックなどキリスト教各派の宗教ネットワークと伝道団・伝道師の交流、「宗教的大覚醒」運動による宗教面での交流の緊密化、また植民地防衛のための軍隊の移動などによって、大西洋はイギリス植民地帝国の「内海」となった。

前述のように、西インド諸島の砂糖プランターの子弟が、ロンドンの代理商の斡旋《あっせん》で本国イギリスの学校に入学し、卒業後はそのままイギリスにとどまり不在化することが一般的になった。北米植民地でも、植民地エリート層が一時的に本国に旅行することで、本国の最新の情報や流行がもたらされる機会も増えた。

ところが、この大西洋をはさんだ緊密な関係に変化をもたらし、アメリカ独立革命の勃発につながる事態が、皮肉にも対仏重商主義戦争である七年戦争（フレンチ＝インディアン戦争、一七五六－六三）の勝利により引き起こされたのである。

アメリカ独立革命

アメリカ独立革命に関しては、その原因と帰結をめぐり、アメリカ史の領域で従来から活発な議論が展開されてきた。そこでも、帝国学派によれば、一七六〇年代から北米一三州植民地で見られた生活様式のイギリス化とその拒否が、アメリカ独立革命の重要な要因となったというのである。

イギリスは七年戦争の勝利により、カナダ（ケベック）とミシシッピ川以東のルイジアナを獲得し、北米大陸からフランス勢力を駆逐することに成功した。パリ講和条約において、戦争中に占領したサン＝ドマング島、マルティニーク島、グアドループ島などの仏領西インド諸島をフランスに返還し、その代わりに雪ばかりで不毛の地と見られたカナダを獲得した背後には、本国議会での強力な圧力集団であった西インド諸島派による牽制があった。砂糖の生産で圧倒的優位に立つ仏領西インド諸島との帝国市場での競合を恐れたためである。

戦争に勝利したとはいえ、イギリスはその戦費を多額の赤字国債発行によってまかなったため、一億三〇〇〇万ポンドの巨額の負債を背負うことになった。同時に、拡大した領土防衛のため、新たに一万名の植民地駐屯軍を必要とした。当時の本国イギリス政府は、重商主義戦争の戦費を、膨大な国債発行によりまかなう「財政軍事国家」（fiscal military state）であった。だが、七年戦争による財政赤字と負債の増大があまりに急激であったために、その負担の一部を現地の北米植民地に転嫁せざるをえない状況に追い込まれたのである。

こうして本国政府は一七六五年に、法律・商業関連の文書だけでなく、新聞や書籍など印刷物すべてに本国発行の印紙をはることを義務づけた印紙法を導入した。植民地側が「代表なくして課税なし」の論理で同法に激しく反対したことはよく知られている。印紙法は現地植民地の反対で、翌六六年に撤廃に追い込まれた。

しかし本国政府は六七年に、蔵相タウンゼンドが別のかたちの増税策として、茶、ガラス、紙、ペンキ、鉛に輸入関税を課した（タウンゼンド諸法）。この新規課税は新たな反発を招き、時計、家具、馬車、帽子などの本国から輸入された非課税品（雑工業品の一部）までが、購入ボイコットの対象となった。いまやイギリスから輸入される商品の消費、イギリス的生活様式という私的な個人の行為が、公共の空間（公共圏）において政治的問題となったのである。

本国イギリス商品のボイコット運動は社会的な強制力を持ち始めた。前述のように、北米植民地の生活様式のイギリス化が文化的統合を引き起こし、その基盤があるがゆえに、イギリス商品とイギリス的生活様式を拒否することが、植民地側の独自性を主張する手段になった。アメリカ独立革命の生活史的な基盤が醸成されていたのである。

利害の対立は、茶法の押しつけによりさらに先鋭化した。第4節で詳述するように、財政

図9　ボストン茶会事件　この事件は、アメリカ人の愛好する飲み物が紅茶からコーヒーに変わる転機ともなった。現在の共和党右派の名称“tea party”の起源でもある

難におちいったイギリス東インド会社を救済するために、本国政府は、北米植民地への茶の直送と、その独占販売権を東インド会社に与える茶法を、一七七三年に制定した。

この法律に対して、アジア（東インド）との茶貿易で収益をあげていた北部マサチューセッツ植民地、とくにボストンの商人たちは激しく反発した。同年一二月一六日、茶法に反対した商人・急進派市民が先住民（ネイティブ・アメリカン）を装ったうえで、ボストン港に入港していたイギリス東インド会社船を襲い、積荷の茶を海に投棄するボストン茶会（ティー・パーティー）事件を引き起こした（図9）。本国政府は報復措置として、ボストン港を閉鎖するとともに、軍隊を駐屯させ、マサチューセッツ植民地の自治権を剝奪《はくだつ》した。

この事件が、紅茶に代表されるイギリス商品と生活様式を拒絶し、北米植民地の住民の政治的連帯を一気に高めるきっかけになった。これ以降の七五年のアメリカ独立戦争の勃発、七六年七月の独立宣言と続く経緯はよく知られている。消費パターンの脱イギリス化、その典型としての紅茶の拒否が、アメリカ人のアイデンティティの確立にとって不可欠となっていったのである。

クレオール革命と主要輸出商品の有無

世界史の文脈で考えると、アメリカ独立革命は、植民地エリートとなった定住白人＝クレオールによる典型的な「クレオール革命」であり、のちに続くラテンアメリカ諸国の独立の先例となったのである。だが、七年戦争後に約三〇あった南北アメリカ（新世界）の英領植民地のうち、政治的独立を達成したのは、アメリカ合衆国を形成した北米の一三の植民地だけであり、英領西インド諸島の諸植民地はイギリス帝国の枠内にとどまった。では、なぜ一三植民地以外では、反イギリス化＝政治的独立は起こらなかったのだろうか。

この問いに答えるには、川北稔が主張するように、各植民地の経済構造と現地の人口構成、とくに、主要輸出商品の有無と定住者の不在化（帰国）の可能性を考える必要がある。

北米ニューイングランドの北部植民地は、主要な輸出商品を持たなかった。イギリス政府による木材、ピッチ、タールなどの造船資材の生産奨励は、現地での造船業・海運業の発展を促し、本国と競合することになった。北部植民地は本国にとって、競争相手となる「危険な植民地」であった。

これに対して、南部のタバコ植民地はタバコ、インディゴ、棉花などの主要輸出商品を、西インド諸島は砂糖という世界商品を有し、規模の大小はあったが、いずれにおいてもプランテーション経済が展開した。そこでの社会は、少数の豊かな白人プランターと、強制的労働をともなう白人年季奉公人やアフリカからの黒人奴隷とに両極分解していた。さらに人口構成の面では、西インド諸島の砂糖植民地は、ごく少数の白人支配者と圧倒的多数の黒人奴隷あるいは混血者から構成されていた。他方、タバコ植民地では、黒人奴隷人口が増えつつあったとはいえ、依然として年季奉公人を主体とする白人人口が過半を占めていた。

だが、タバコと砂糖には世界商品として決定的な相違があった。

まず、英領西インド諸島産の砂糖は、その大半がイギリス国内で消費される帝国内商品であった。外国産砂糖への高い保護関税に守られて、仏領西インド諸島やポルトガル領ブラジル産と比べると非常に高価であり、本国以外に市場を見出すことはできず、その国際競争力は低かった。寡占化が進んだ砂糖生産のプランターは、北米タバコ植民地の白人よりもはるかに富裕であり、成功したプランターたちは本国に帰国した。不在化した彼らは本国の政界に進出して西インド諸島派を形成し、帝国政策を左右する圧力団体として機能する一方で、現地での投資はないがしろにされ、低開発状態が進行した。

他方、北米の南部で生産されたタバコは、圧倒的な国際競争力を持つ世界商品であり、グラスゴーやロンドン経由でヨーロッパ各国に再輸出された。タバコ植民地では富裕なプランター階層（タバコ貴族）が成立し、すでに述べたように、彼らを中心に生活文化のイギリス化が進展した。しかしその結果、本国商人に対する彼らの負債は膨れ上がり、本国への不満が蓄積されたのである。本国の重商主義政策は、保護を必要とした砂糖プランターにとっては不可欠であったが、タバコ植民地にとっては発展の制約要因になったのである。

同じように主要輸出商品を有していた英領西インド諸島植民地と北米南部植民地は、その主要輸出商品の性格と世界市場での競争力の相違により、本国への依存度と経済的発展の経路をも異にしたのである。

ハイチ革命の勃発

この両者の差をさらに広げ、政治的自立の方向性の違いを決定づけたのが、一七九一年八月に勃発した仏領西インド諸島の中心、サン＝ドマング島での黒人奴隷の蜂起《ほうき》、一八〇四年一月のハイチ黒人共和国の成立である（ハイチ革命）。

黒人奴隷の蜂起、ヨーロッパにおけるフランス革命戦争の勃発は、イギリスとスペインの軍事干渉を招いた。一七九三年五月、イギリス軍はマルティニーク島に侵攻、同年九月にはサン＝ドマング島の南西部を占領した。このイギリスの軍事行動には、敵国フランスの植民地の経済的中心であり、砂糖生産で優位を誇った拠点を奪取するとともに、黒人奴隷の蜂起の余波が英領西インド諸島、とくに近接するジャマイカに波及するのを防ぐ、という二重の目的があった。

図10　トゥサン・ルヴェルチュール（1743－1803）　ハイチ独立運動の指導者。黒人奴隷制の復活をめざしたナポレオンに抵抗して捕えられた

「植民地喪失の危機」のなかで、一七九四年二月四日、フランス国民公会は黒人奴隷制の廃止を決議した。解放奴隷出身のトゥサン・ルヴェルチュールは、奴隷解放闘争の先頭に立ち、イギリス軍との戦闘で功績をあげ、一七九九年にはナポレオンにより現地総督に任命された（図10）。

その後、ナポレオンとトゥサ

ン・ルヴェルチュールは対立し、一八〇二年五月、ナポレオンは黒人奴隷制および奴隷貿易を復活させた。このナポレオンの反動政策に対抗して、サン＝ドマング島では武装闘争が展開された。黒人革命軍は優位にゲリラ戦を進め、最終的にハイチ共和国が独立した。新大陸では、アメリカ合衆国に次ぐ二番目の共和国が誕生した。

このハイチ革命は、英領西インド諸島の砂糖植民地に大きな衝撃を与えた。前述のように、黒人奴隷と混血者が多数派を占めた西インド諸島では、白人プランターの政治・経済支配を維持するには、本国の重商主義的な保護主義と軍事力（海軍力）に頼るほかなかった。したがって西インド植民地では、仏領ハイチのような黒人革命を避けようとすれば、北米植民地で起こったアメリカ合衆国型のクレオール革命による本国からの政治的独立はありえなかった。一三植民地以外では、人口構成の点からも反イギリス化は起こらず、他の英領植民地は一九世紀以降も帝国の枠内にとどまることになったのである。

4 東インド会社とアジア貿易

アジアの物産と東インド会社

環大西洋経済圏を中心に形成されたイギリス重商主義帝国の発展は、イギリス東インド会社を中心とするアジア物産の輸入を通じた、対アジア（東インド）貿易の拡大と緊密に結びついていた。

近世のヨーロッパ人にとって、アジアからもたらされたモノ（物産）は、あこがれの的であり、「豊かなアジア」と「貧しいヨーロッパ」の落差を象徴していた。その代表的なモノが、南アジア（インド）産のキャラコ、モスリンと呼ばれた綿織物であり、中国から輸入された茶、絹織物、各種の陶磁器製品であった。このなかでもとくに貿易品として重要であったのは、南アジア産の綿製品であった。

当初、東南アジアのモルッカ諸島で産出する香辛料を入手する目的で設立されたイギリス東インド会社は、すでに述べたように、一七世紀前半にオランダとの抗争に敗れて、撤退を余儀なくされた。彼らが代わりに目をつけたのが、南アジアのインド亜大陸のベンガルや南インド地方で生産されていた薄手のキャラコやモスリンであった。

キャラコやモスリンは、現地人の職工によって織られる高級綿織物であり、インディゴなどの天然染料で鮮やかなカラーに染色されるか、あるいは、独自のデザイン・模様に捺染《なっせん》された。南アジア地域では、主に高いカーストの女性が着用するサリーや宗教儀式などで広範に使用されていた。

イギリス東インド会社にとって、とりわけアジア産綿織物、さらにヨーロッパ向け輸出品の調達に向けて、オランダ東インド会社やフランス東インド会社との現地での競争を勝ち抜く必要があった。現地の職人層に資金の前貸しをおこなったり、購入価格を比較的高めに設定するなど、力関係としては、現地の生産者・職人層のほうが有利な立場にあった。彼らは、ヨーロッパ諸国の会社相互間の競争・競合関係を見すえて、契約を無視するなど、したたかな交渉力を有していた。この点にも、ヨーロッパ側が「利用される」側面が見られた。交渉相手として一筋縄でいかないのが、南アジア現地の職人たちであった。

イギリス東インド会社は、一七五七年のプラッシーの戦い、六四年のブクソールの戦いを通じて現地インドの内政に深く関与するようになり、六五年にはムガール皇帝からベンガル地方の地税徴税権（ディワニー）を与えられて、商業会社でありながら領土支配・統治に乗り出した。

東インド会社関係者のなかで中核的存在であったのが、文官（行政官 civil servants）であった。文官は書記、代理商、準商人、上級商人の四階級制で構成され、書記になるには、東インド会社重役による推薦（パトロネジ）と五〇〇ポンド相当の保証金が必要であった。一七六〇年代には文官の大幅な増員がなされ、七三年には二五〇名に達した。

人数がもっとも多かったのが、東インド会社軍の軍人たちである。プラッシーの戦い以後の領土支配の拡大、統治機関としての発展の過程で、会社軍は急速に拡張された。会社軍はヨーロッパ人将校とインド人傭兵《ようへい》（セポイ）で構成され、将校になりたがる者の数は多く、一七六三年に一一四名、六九年に五〇〇名、八四年に一〇六九名に達した。

文官、軍の将校ともに、東インド会社重役の推薦により採用され、いったん入社すると、あとは厳格な年功序列制によって昇進と昇給が保証されていた。一八世紀を通じて、東インド会社の文官・軍人は、本来の業務以外にも私的交易をおこなう個人商人であった。

彼ら以外に、現地には「自由商人」や「自由船員」と呼ばれた非会社員や、非合法なベンガルへの渡航者が存在した。自由商人は一七五六年までに五九名を数え、東インド会社に一〇〇〇ポンドの保証金を支払うことで交易を許された。後者の数は不明であるが、彼ら非合法渡航者たちは、外国船を利用したり、ペルシャ湾経由の陸路を利用したりして、ベンガルに居留するようになり、一八〇〇年までには約一〇〇〇名弱に達したという推計もある。

カントリー・トレードへの参入

本国と東インド間のインド物産の取引、とくに綿布や生糸のヨーロッパ市場における販売は、東インド会社の排他的な独占権が名目上は保証されていた。しかし、この東インド会社の貿易独占は不完全であったために、同社社員やインド在住のイギリス系自由商人（カントリー・トレーダー）が、アジア間の交易に新しく参入することができた。すなわち、上級商人や会社船の船員は、一定の積荷スペースの私的利用を許されており、会社の内陸関税免除の特権（自由通関権）を濫用して、現地でインド物産を買いあさった。また彼らは、カルカッタ（コルカタ）を起点とするアジア商人によるアジア沿海諸港間の沿岸交易（いわゆるカントリー・トレード）にも投資し、棉花、インディゴ、香料、アヘンなどの交易を通じて多大の利潤を得た。カントリー・トレーダーとしては、のちのジャーディン・マセソン商会、デント商会、スワイヤー商会のように、スコットランド出身者が活躍した。

このアジア間交易は、東インド会社本体のヨーロッパ―インド貿易と相互補完関係にあり、のちに述べるように、しだいに中国・広州での茶・アヘン貿易と結びついていった。東インド会社やカントリー・トレーダーは、インド現地では土着の商業資本、銀行家、大貿易商と取り引きし、彼らから借金することもあった。両者とも、現地バザールのアジア商人の仲介・協力関係があって初めて、アジア間交易で利潤を得ることができたのである。

一八世紀のイギリス東インド会社は、国王の特許状を得た時代遅れの商業独占体ではなく、特権的ではあったが本国の商業・財政革命をになう資本主義的な企業体であり、のちの多国籍企業の原型であったと見なすことも可能である。

ネイボッブ

ところで、一八世紀中葉において、イギリスのインドに対する政治的支配権が漸進的に確立される過程で、さまざまな利権を悪用して巨富を蓄える東インド会社の社員や軍人が現れた。彼らは「ネイボッブ」と呼ばれ、当初蔑視《べっし》の対象となった（図11）。

彼らにはインド現地に永住するつもりはまったくなく、かといって前述の西インド諸島の砂糖プランターやアイルランド地主のように不在化する可能性もほとんどなかった。そのうえ、東インドと本国間の貿易は会社の独占状態にあったため、現地で合法（特別手当）、非合法（徴税収入の横領や賄賂《わいろ》）の手段で獲得した富（個人資産）を本国へ持ち帰るには、一工夫が必要であった。

個人資産の送金で一般的な手法だったのが、イギリス東インド会社発行のロンドン宛為替手形の利用であった。この方法は、為替手形の交換レートが低く、限度額（一七七三年以降は年三〇万ポンド）もあった。しかも最大の難点は、個人資産の秘密が保たれない点であった。一七六九年以降は、アジア間交易の

図11　ネイボッブ　水ギセルで喫煙する東インド会社の文官。彼らネイボッブは、インド現地の慣習に強い関心を示した

発展にともない、中国の広東に送金して為替手形を購入する手段が編み出された（次項参照）。しかし、これら以上に重要だったのが、外国の東インド会社や外国商人を通じての送金であった。初代ベンガル知事クライヴは、在任期間中の本国送金額三一万七〇〇〇ポンドのうち、七割強の二三万ポンドをオランダ東インド会社の為替手形を利用しておこなった。当面の商売敵であったフランス東インド会社の手形も利用された。アメリカ独立戦争に連動した対仏戦争の勃発後は、中立を保っていたデンマーク東インド会社やポルトガル商人が利用された。これらはいずれも、外国商人に対して現地で商業資金を融資するかたちをとり、一七八一年の法令で非合法とされた。重商主義的な貿易の拡大でしのぎを削るヨーロッパ各国の東インド会社も、こうしたインド在住イギリス人の本国向け闇送金（個人資産の移送）を請け負う役目を果たしたのであり、ある意味で、「アジアの海」におけるヨーロッパ諸国の貿易活動は、競い合いながらも相互に依存し合う協調的関係にあったといえよう。

こうした多様な経路を通じて、一八世紀後半にベンガルからイギリス本国に送金された個人資産（カネ）の総額は、P・J・マーシャルの研究によれば、約一八〇〇万ポンドに達した（この推計には、東インド会社の公式の貿易額は含まれていない）。一七五七年以前に約三〇〇万ポンド、一七五七―八四年には約一五〇〇万ポンドが送金されたと推定されている。インドからの私的な資産の移送額は年平均約五〇万ポンドであり、七三年時点でのジャマイカ島の不在地主の収益二〇万ポンドを大きく上まわっていた。

茶の貿易と中国――アジアの三角貿易の形成

イギリスにアジアの物産を大量に輸入し、イギリス人に生活革命をもたらしたのも、イギリス東インド会社であった。この点については、すでに角山榮による優れた研究があるので（『茶の世界史』中公新書、一九八〇年）、ここでは詳述しない。

東インド会社の主要輸入品は、インド産のキャラコをはじめとする綿製品で、一八世紀初めまで全輸入額の約七〇％を占めていた。しかし、一七六〇年には茶の輸入が総輸入額の約四〇％と首位を占めるようになり、対アジア貿易の主要商品になった。こうした茶貿易の躍進の背後には、茶に対するイギリス国内での需要の急増があった。

イギリス東インド会社が輸入した茶は、ほぼ全量、中国の広州を通じて供給された。この中国との貿易を円滑に展開するうえで、必要不可欠であったのが前述のイギリス系自由商人、カントリー・トレーダーとの協力であった。

一七八四年にイギリス首相ピットは、密輸の防止と関税収入の増収のために、本国の茶関税の大幅な引き下げを含め関税改革を実施した。この結果、広州からの中国茶の輸入は激増し、対中貿易は赤字に転落した。その赤字を相殺し本国からの銀の流出を阻止するために、

図12　アジアの三角貿易概念図（単位：1,000ポンド）
（　）内は２国間の輸出総額に占める比率（％）

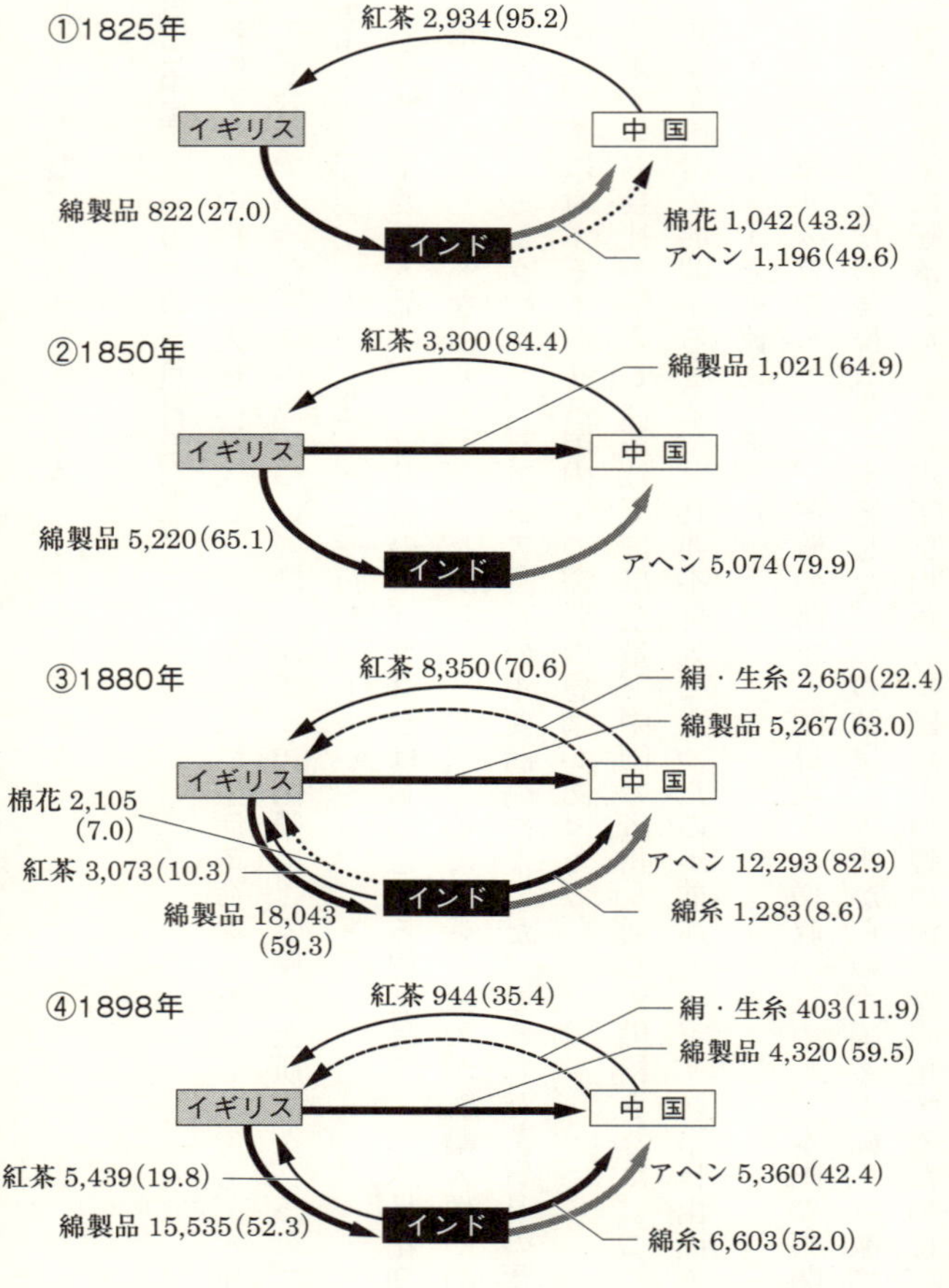

〈出典〉加藤祐三「アジア三角貿易の展開」『週刊朝日百科・世界の歴史 87』朝日新聞社、1990年

東インド会社はベンガル地方でのアヘン専売・独占権を活用して、カントリー・トレーダーを介在させたインド産アヘンの対中国向け密輸を始めた。イギリス―インド―中国を結ぶアジアの三角貿易の形成である（図12）。

元来カントリー・トレーダーは、インドにおいて現地のインド商人からインド綿布を購入し、それをペナンやマラッカなど東南アジア地域の港に持ち込み、現地のアジア商人であるマレー人やブギス人と交易して、香辛料や錫《すず》などの中国向け東南アジア物産を入手し、中国本土から来航する華人商人と中国産の物産の交易をおこなうという、アジア域内交易に従事していた。彼らは同時に、インド産棉花を直接中国・広東に持ち込む交易もおこなっていた。

カントリー・トレーダーとアヘン交易

だが、カントリー・トレーダーが扱ったもっとも注目すべき商品が、中国向けのインド産アヘンであった。当時ベンガル産のアヘンは、一七七三年に販売を、九三年からはその生産を、イギリス東インド会社が独占していた。ベンガルで生産されたアヘンは、東インド会社によってカルカッタで競売に付され、カントリー・トレーダーが購入した。イギリス本国産の毛織物などが中国ではほとんど売れず、中国茶購入のための代価としての銀の支払いを抑えるために、ベンガル産のアヘンは、棉花とならんで対中国交易における主力商品となったのである。東南アジアの物産を獲得するためにも、アヘン輸出は不可欠であった。

だが、中国でのアヘン販売には制約があった。交易は広州一港だけの取引に限定されており、一八世紀末から中国国内へのアヘン輸入は規制されるようになったため、イギリス東インド会社にとって、公式にアヘンを中国向けに輸出するのは難しくなった。そこで東インド会社は、自由な立場にあるカントリー・トレーダーを隠れ蓑《みの》にして、彼らに中国向けアヘン輸出を委託することになった。

折しも、当時のイギリス東インド会社は、インド各地における相次ぐ征服戦争にともなう軍事費の増大、行政経費の拡大によって、財政的な苦境におちいっていた。対中国貿易を拡張するために必要な投資資金にも事欠く状況にあった。

他方、カントリー・トレーダーは、広州での交易において多くの利益（銀）を獲得していたが、東インド会社の貿易独占権のもとでは、中国茶を直接本国に輸出することは許されておらず、利益を生む中国物産の確保も容易ではなかった。したがって、彼らカントリー・トレーダーは、前述のネイボッブたちと同様に、広東でイギリス東インド会社の為替手形を購入して本国やインドで現金化する送金手段を好んだ。東インド会社自身は、カントリー・トレーダーによって広州の会社財務局に払い込まれた銀を元手にして投資資金を調達し、茶などの中国物産を獲得することができた。

こうした東インド会社為替手形の売却は、会社にとって不可欠の投資資金調達の手段となり、一七八七年の時点で、中国における投資資金の五三%をカントリー・トレーダーが提供していた。

一八世紀末から、ロンドンへの送金業務がイギリス東インド会社にとっての最優先事項になった。公的債務（年金・給与の支払い、資材購入）を履行し、株主への配当金を払うために、東インド会社は年間三〇〇–四〇〇万ポンドを必要とし、個人的送金（五〇–一五〇万ポンド）や海運料、保険・金融サーヴィスのような「見えざる輸入」（invisible imports）を決済するために、さらに一定額の資金確保が必要であった。そのためには、インド産品（キャラコ、モスリンなどの綿製品）のイギリス本国向け輸出の拡大だけでなく、とりわけアヘンのアジア諸地域（東南アジア、中国）向け輸出の拡大が不可欠であった。対中交易におけるカントリー・トレーダーとの緊密な協力と役割分担は、イギリス東インド会社の存続にとって不可欠な要因となったのである。

しかし、東アジア貿易において協力関係にあった東インド会社とカントリー・トレーダーも、東インド会社がしだいに本国政府に代わるインド統治機関に転化し、商業活動と徴税・本国送金業務が不可分となって、その一体性が増大するにつれて、両者の利害に乖離《かいり》が見られるようになった。それを促したのが、独立後のアメリカ商人の中国茶貿易への進出であった。

アメリカ商人は当初、イギリス東インド会社と同様に、銀と交換に中国茶を広東で入手していたが、しだいにロンドン宛振出手形（＝アメリカ手形）で決済をおこなうようになった。というのも、産業革命の進展によりイギリスではアメリカ棉への需要が急増し、アメリカ商人は、対英のアメリカ棉輸出の債権をもとにロンドン宛の手形を振り出した。彼らはこのアメリカ手形を直接ロンドンに送付して決済するのではなく、広州に持ち込んで中国茶の購入に使用した。

イギリス系のカントリー・トレーダーは、アヘン売却で得た銀でアメリカ手形を購入し、本国への送金や、ベンガル地方以外でのアヘン入手に活用するようになった。これによって、カントリー・トレーダーは、東インド会社への為替送金面での依存状態から解放されて、新たな送金決済手段を確保したのである。

一八世紀末からは、東インド会社の独占の対象外であった非ベンガル地域産のアヘン、とくに内陸部ラジャスタン地方のマルワリ産アヘンが、ボンベイ港から中国向けに輸出されるようになった。このボンベイからの対中アヘン輸出には、地元の有力商人であったパールシー商人も関与し、多くの利益を得た。イギリス東インド会社の貿易独占権に対する批判と、それに代わる「自由貿易」の主張が高まる背景には、こうしたカントリー・トレーダーやアジア商人層の自立と独自の経済利害の追求があった。

5　イギリス産業革命の歴史的起源と帝国

イギリス産業革命はあったのか？

ここでは、以上のイギリス帝国内外への考察を前提にして、従来から歴史の転換点と重視されてきた一八世紀末のイギリス産業革命の歴史的起源をグローバルな文脈で考えてみよう。産業革命は、対アジア貿易の拡大や帝国の拡張と密接に関連していた。

一八世紀後半のイギリスは、世界で初めて農業社会から商工業社会へと変化し、社会の構造や人々の生活が大きく変化したといわれる。このような社会経済構造の大きな変化を「産業革命」と呼び、世界で最初の現象として、英語で表現する場合は、定冠詞theを冠してthe Industrial Revolutionと表現するのが一般的である。ところが近年のイギリスにおける経済史研究では、産業革命に否定的な見解が一般的になりつつある。

産業革命否定論の中心的な論客は、イギリス・ウオリック大学のN・クラフツである。クラフツは主著『産業革命期のイギリスの経済成長』(*British Economic Growth during the Industrial Revolution*, Clarendon Press, 1985) において、一八世紀後半から一九世紀初頭のイングランドにおいては、長期にわたって非常にゆるやかな経済成長が展開したと主張した。彼によれば、従来の通説で産業革命の時代とされる一七八〇－一八三〇年のイングランドの経済成長は、全要素生産性（total factor productivity）が年一％弱にとどまり、劇的な経済成長の加速は見られなかった、主要な産業は依然として手工業生産に支えられ、生産性の伸びはゆるやかで漸進的であった、というのである。

このクラフツの研究は、最新の計量経済史の手法を用いた手堅い実証的なものであり、二〇世紀初頭の経済学者A・トインビー以来の産業革命＝一大変革説を、イギリス本国の経済史学界は大勢において否定することになった。その解釈の有効性をめぐって、論争は続いているが、より漸進主義的な産業革命解釈が支持を集める流れは変わらない。

では、イギリスの学者たちが実証的な経済データにもとづいて主張するように、産業革命の概念自体を歴史の解釈から消し去ってもいいのだろうか。世界史（グローバルヒストリー）の立場からは、断じて否である、といわざるをえない。というのも、イギリス産業革命は、その起源と事後の影響の両面において、イギリス一国を超える連関性とインパクトを有しており、単なるイギリス一国だけにとどまる出来事ではないからである。

そもそも、なぜ一八世紀後半に、近世イギリスの主要輸出品であった毛織物ではなく、綿織物業において技術革新が相次ぎ、産業革命が起きたのか。この問いに答えるには、当時のイギリス国際商業の状況と帝国との関係を、あらためて振り返る必要がある。

ウィリアムズ・テーゼ再考

一八世紀末のイギリス産業革命は、本章第2節で紹介したイギリス商業革命の進展を歴史的前提として初めて理解できる。のちに、カリブ海の新興独立国トリニダード・トバゴ共和国の初代首相に就任した黒人歴史家のE・ウィリアムズは、一九四四年に、大西洋三角貿易の不可欠な環節であった奴隷貿易の綿布需要こそが、イギリスの綿工業が急成長するきっかけになったと主張し、イギリス産業革命の起源を奴隷貿易に求めるまったく新しい解釈を、その著書『資本主義と奴隷制』(*Capitalism and Slavery*, University of North Carolina Press) で提起した (図13)。このウィリアムズ・テーゼは、発表当時は英米の学界でまったく無視されたが、一九六〇年代から賛否両論の論争が展開され現在にいたっている。

図13　E・ウィリアムズ（1911－81）　歴史学者であると同時に、トリニダード・トバゴ共和国の初代首相（1962－81）として、カリブ海地域から第三世界としての外交を展開した

一九六〇年代は、アメリカ合衆国で公民権運動が盛り上がりを見せ、黒人（アフリカ系アメリカ人）の権利主張と国家による一定

の保証がなされた時期である。また一九六〇年は「アフリカの年」と呼ばれて、多くの独立国が誕生した。こうした政治的動きは、植民地化される以前のアフリカ史に対する関心を高め、奴隷貿易を歴史的に再検討する機会にもなった。

ウィリアムズ・テーゼとして知られる彼の議論の基本的論点は、奴隷貿易と奴隷制がイギリス産業革命の展開に直接的あるいは間接的にかかわっており、産業革命が成立し産業資本が確立すると、今度は逆に、その収益性の低下が一九世紀になって奴隷貿易と奴隷制の撤廃をもたらした、という点にあった。後者の一九世紀におこなわれた奴隷貿易撤廃については、第2章で検討するとして、前者の論点は、奴隷貿易がどれほど儲《もう》かったのか、どれくらい当時の本国経済の成長に貢献したのか、という奴隷貿易の利潤に関する論争を引き起こした。

ウィリアムズ自身は、一八世紀前半のリヴァプールでは多くの奴隷貿易船の利潤率が一〇〇%を超え、時には三〇〇%に及ぶ利益をあげることもあった、と奴隷貿易がもたらした高い利潤を強調した。これに対して、S・L・エンガーマンは、一八世紀のイギリスのGDPに対する奴隷貿易の貢献が、大目に見積もっても〇・五%程度であり、資本形成においても奴隷貿易の利潤は五%程度の比重にとどまり、その貢献度は小規模であった、と反論した。また、R・アンスティは、一七六一－一八〇七年の奴隷貿易の平均的利潤率は九・五%であり、資本形成への貢献は〇・一一%しかなく、奴隷貿易が産業革命に決定的な役割を果たしたという説は神話にすぎない、と批判した。

こうした一連の批判・修正論の背景には、一九七〇年代から本格化したコンピュータを駆使した計量経済史研究の展開と、実際に大西洋を越えて運搬された奴隷の人数（商品としての輸出入数）の精緻《せいち》な検討があった。研究方法が発展すればするほど、当初の画期的な論点が支えきれなくなり陳腐化していく、という皮肉な結果が生まれた。

この論争では、奴隷貿易の利潤規模のみに研究の関心が集中し、なぜ奴隷貿易が長期にわたって存続したのか、奴隷貿易を通じてのモノの移動が南北アメリカやアフリカ、さらにヨーロッパの生活スタイルをどのように変化させたのか、など多くの問題が未解明のまま残された。本国イギリスに関しては、川北稔が主張するように、西インド諸島の砂糖植民地の奴隷制プランテーションが、本国に雑工業製品市場、さらに原棉などの原材料、基礎食品としての砂糖を供給し、工業化の資金の一部を提供しながら、本国上流社会のジェントルマン的な性格を温存する「安全弁」として機能したことは確かである。

だが、今日においてウィリアムズの問題提起は、イギリス―アフリカ間関係、アフリカ―西インド諸島関係のような二国間・二地域間関係でその是非が問われるのではなく、もっと広範でグローバルな連鎖で考えることにより、その意義が明確になる。

アジアの物産の輸入代替工業化としての産業革命

そもそも、イギリスで産出しない棉花（原棉）を原料として、一八世紀後半に相次いだ技術革新によって綿業部門を中心に展開したのが産業革命であった。それは、東インド会社がインドから大量に輸入していたキャラコやモスリンなどの綿織物を、イギリスでの生産に切り換えて（国産化）、逆に環大西洋諸地域やアジア諸国に輸出しようとする「輸入代替工業化」(import substitution industrialization) の試みであった。

第1節でも述べたように、東インド産の綿織物は、一七世紀後半から一八世紀初頭にかけて、一般庶民の間でも人気を博す商品となった。その人気は本国の既存の絹織物や毛織物製造業者にも脅威となり、一七世紀末から「キャラコ論争」と呼ばれた紛争を引き起こした。

一七〇〇年のキャラコ輸入禁止法、一七二〇年のキャラコ使用禁止法の制定がそれである。輸入禁止法は、染色済みのキャラコの輸入を禁じるものであったが、国内に定着し始めていたプリント業者の利益を考慮して、未染色の綿布の輸入を認めたために、ほとんど効果がなかった。他方、使用禁止法のほうも、「キャラコ」や「コットン」という言葉の意味が曖昧であり、当時イギリス国内で生産が始まっていたリネンなどとの混織による「コットン類似品」（混織布）の生産と使用・消費は許されていた。したがって、キャラコ禁止二法はほとんど有効性に欠け、東インド産の綿織物は引き続き人気を博した。

しかし、東インド産の綿織物にとって、イギリス本国市場とならんで重要であったのが、西アフリカ地域への再輸出であった。一八世紀の航海法体制のもとで、植民地相互間の直接取引は禁じられていたために、東インドから西アフリカ地域へのモノの輸出は、いったん本国のロンドン港を経由する再輸出のかたちをとらざるをえなかった。

東インド産綿布は、西アフリカにおいてアフリカ人奴隷と交換された。一六九九―一八〇八年のイギリス貿易統計を分析したM・ジョンソンの研究によれば、対西アフリカ貿易で東インド産綿布は輸出品の首位を占め、一八世紀半ばには、その比率は全輸出額の約三〇％（約九一〇万ポンド）にのぼった。同時期のフランスによる西アフリカ貿易でも同様な傾向が見られ、東インド産綿布は輸出商品の約四〇％を占めたといわれている。

こうして、東インド産綿布に代表されたアジア物産は、大西洋三角貿易、とくに奴隷貿易において、アフリカ人奴隷を獲得・購入するうえで決定的に重要な再輸出商品（モノ）となったのである。

英米の学界を中心に活躍する黒人史家J・イニコリは、二〇〇二年に出版した『アフリカ人とイングランドにおける産業革命』（*Africans and the Industrial Revolution in England*, Cambridge University Press）において、ウィリアムズの研究を意識したうえで、イギリス産業革命の実現にとって、大西洋商業の拡張が決定的な役割をにない、アフリカ大陸の現地アフリカ人と南北アメリカ大陸に強制的に連行され定着したアフリカ人が、その発展を支えた、と主張する。具体的には、英領西インド諸島の人口にアフリカ系が占めた割合は一八〇〇年の時点で九割を超え（九二・八％、八三万五五〇〇人）、北米南部植民地でもその比率は独立前に四割弱（一七五〇年、四〇・五％、二一万四〇〇人）、独立後に若干低下するものの全人口比で三五―三七％（一八〇〇年、三五・三％、九〇万六〇〇〇人。一八五〇年、三七・一％、三六〇万八五〇〇人）を占めていた。

このアフリカ人労働力の存在が、環大西洋経済圏の形成に大きな貢献をした、とイニコリは主張する。その原点は、大西洋奴隷貿易の展開であった。イニコリの研究は、多くの批判や反論にもかかわらず、ほぼ二世代前のウィリアムズの研究の妥当性をあらためて確認させてくれる。

このように考えてくると、イギリス産業革命をめぐるウィリアムズ・テーゼは、地球的規模で広がる貿易ネットワークの構築とヒトの移動という、グローバルヒストリーの文脈においては依然として有効である。最近、日本の学界から、大西洋貿易とアジア貿易（東インド貿易）を結びつけて考察し、その世界史的な意義を問う意欲的な実証研究が提示されるようにもなった。

イギリス産業革命が、西アフリカにも再輸出されたアジア物産である東インド産綿布の輸入代替工業化であったことも考慮すると、一九六〇年代の従属論（先進国の経済発展と第三世界の低開発を、同じコインの表と裏のように同時並行的に進展する現象ととらえる考え方）や、一九七〇年代にアメリカの歴史社会学者Ｉ・ウォーラーステインが提唱した世界システム論（世界経済を中核・半周辺・周辺の三層構造でとらえる考え方）の先駆的業績として、ウィリアムズの研究は依然として高く評価できる。同時に、産業革命論や環大西洋経済圏の形成に関して、アジア側からの見直しも不可欠になっている。

第2章　自由貿易帝国とパクス・ブリタニカ

1　旧植民地体制の解体

フランス革命＝ナポレオン戦争の衝撃

一八－一九世紀の転換期に、イギリスの海外膨張と帝国の形成（植民地帝国）は、新たな挑戦と危機に直面した。一七九三年に勃発し、一八一五年のウィーン会議まで断続的に続いた、フランスとの世界的規模での戦争、フランス革命＝ナポレオン戦争の展開である。

かつて、一八世紀のイギリス帝国に関する一つの解釈として、次のような考え方があった。すなわち、第1章で述べたアメリカ独立革命による領土の喪失をきっかけとして、イギリス帝国は、環大西洋世界を中心とする重商主義・保護主義的な「第一次帝国」から、東インド（アジア世界）を中心とする自由貿易主体の「第二次帝国」に移行した、という解釈がそれである。この帝国の変容に関する時期区分は、イギリス産業革命の起源と展開の時期区分とも重なるために、広く受け入れられてきた。

しかし、この通説的見解に対して近年では、二つの帝国の間の「断絶」「変化」を過度に強調せず、一八世紀後半から一九世紀初頭は、新旧両帝国が「共存」していた点が強調される。

一八世紀末のイギリス本国の政治・社会構造は、第1章でも述べたように、大土地所有者（地主・土地貴族）と一部の海外貿易商や金融関係者、いわゆるジェントルマン階層が連携して政治権力を独占する寡頭《かとう》支配であった。住民の大半は政治権力から排除され、一部のジェントルマンおよびその同盟者（疑似ジェントルマン）がある種の特権を享受していた。したがって、自由・平等・博愛を掲げたフランス革命の衝撃は大きく、イギリスの伝統的支配層は、革命の影響が自国に及ぶのを恐れた。イギリス政府はフランス革命の急進化に対抗して、一七九三年に第一次対仏大同盟を組織し、フランス革命勢力と軍事的に争うことになった。

革命政権のフランスと対峙《たいじ》するイギリスにとって、背後に位置したアイルランドとの関係は重大であった。アイルランドでは一七世紀のイギリス革命によって、土地の没収と再配分がおこなわれ、プロテスタントの優位が確立し、事実上の植民地化が進んでいた。アイルランド不在地主は、インド帰りのネイボッブや西インド諸島砂糖プランターとならんで、一八世紀本国社会を支配するジェントルマン階層に食い込んだ。

だが現地では、一七八〇年代初頭にアイルランド議会が立法上の独立性をある程度回復し、自立する傾向にあった。フランス革命後は、アイルランドの民主化を求めて革命組織ユナイテッド・アイリッシュメンが蜂起し、フランス革命政権もそれを援助する姿勢を示した。

この危機的な状況で、イギリス政府は、イギリスとアイルランドを国制上統合して、一つの国家とする決定を下した。具体的には、アイルランド議会を本国議会に統合（事実上の吸収合併）する法律を一八〇〇年に可決し、一八〇一年一月に「連合王国」（The United Kingdom）が成立した。アイルランドからは一〇〇名の庶民院議員がロンドンの議会（定員五五八名）に合流した。この議会合同により、アイルランドは事実上の植民地でありながら、本国議会に代表を送る権限を有する「国内に取り込まれた植民地」（国内植民地）になったのである。

フランスとの戦争は断続的に続いたが、一七世紀から一貫してイギリスは、強大な海軍力（王立海軍）を背景に制海権を確保し、それを通じて海外植民地を維持・拡大することを基本戦略としていた。ヨーロッパ大陸での戦闘は同盟諸国（プロイセンやロシアなどの陸軍国）に任せて、自国はブリテン島と海外植民地を結びつける航路（シーレーン）の安全保障のために軍事力を投入し、とりわけ東インド地域との海上連絡路を重視した。

一七九九年八月には、ナポレオンのエジプト遠征軍をエジプトのアブキール湾の戦いで破り、フランスの「東方への野望」を打ち砕いた。さらに一八〇五年一〇月には、海軍提督ネルソンが、ジブラルタルに近いトラファルガー岬沖の海戦でフランス・スペイン連合艦隊を撃破した。ネルソン自身は戦死して国民的英雄に祭り上げられたが、この海戦の勝利によって、海上におけるイギリスの圧倒的優位（覇権）は、二〇世紀の初頭まで一世紀間にわたって揺らぐことはなかった。

さらにナポレオン戦争中にイギリスは、オランダ領であったアフリカ大陸南端の要衝ケープ植民地を占領し、大西洋・インド洋経由で東インドにいたる海路を確保した。強大な海軍力は、一九世紀におけるイギリスの世界支配を支えるもっとも重要な手段になったのである。

奴隷貿易の禁止と奴隷制の撤廃

フランス革命中の一七九一年、仏領サン＝ドマング島で起こった黒人革命、黒人国家ハイチの事実上の独立（正式の独立は一八〇四年）は、西インド諸島やラテンアメリカ諸地域のクレオールに大きな衝撃を与えた（第1章参照）。

産業革命とフランス革命が同時に進展し、対仏大同盟が何度も組織されたこの時代は、イギリス本国と環大西洋地域において、宗教的な情熱にもとづくさまざまな改革運動が展開された時代でもあった。

国内での貧民救済、庶民向け教育などとならんで問題視されたのが、イギリス植民地帝国、とくに西インド諸島における奴隷貿易と奴隷制であった。もともと、イギリスのクウェーカー教徒や国教会内部の改革派であるクラパム派は、宗教的・人道的観点から奴隷制度、奴隷貿易に反対していた。フランス革命前の一七八七年に、そうした福音主義の指導者で庶民院議員であったW・ウィルバーフォースらが、奴隷貿易廃止協会を設立した。

過酷な奴隷労働を非難する人道主義的理由に加えて、一八―一九世紀の転換期における西インド諸島の砂糖プランテーションは、経済的困難にも直面していた。手厚く保護されていた英領西インド諸島産の砂糖は、フランス産などと比べると割高で国際競争力がなかった。フランス革命＝ナポレオン戦争中に、イギリス軍は、仏領西インド諸島の砂糖植民地であったマルティニーク島やグアドループ島を一時的に占領した（戦後、フランスに返還）。それら仏領植民地の生産性は非常に高く、英領植民地にとって脅威に感じられた。

産業革命以降、イギリス本国では労働者の朝食として、中国から東インド会社が輸入する茶と、カリブ海の砂糖植民地からもたらされた砂糖を組み合わせて飲む、「砂糖入り紅茶」が定着した。こうして一般庶民の生活も、海外からの食品（嗜好品）の輸入と消費により、大きく変容した（生活革命）。この生活革命を維持するには、安価な砂糖の大量輸入を必要としたのである。経済的理由からも、重商主義的な保護を受けた砂糖植民地は本国経済にとって重荷になりつつあった。

そうした状況の変化のなかで、一八〇七年にまず奴隷貿易が廃止され、一八三三年法でイギリス帝国内部での奴隷制度そのものが廃止されることになり、三四年に英領西インド諸島で、翌三五年にはインド洋のモーリシャスで、奴隷制が廃止された。

奴隷制の廃止によりもっとも影響を受けたのは、砂糖プランテーションの経営者であった。彼らには一定の金銭的補償が支払われたが、奴隷制廃止後は、いかにして労働力を確保するかが最大の課題になった。代替労働力としてポルトガルや中国から移民が導入されたが、最終的には同じ英領植民地のインドからの年季契約移民労働者が、砂糖栽培の主要な労力の担い手になった。

年季契約とは、労働者が渡航費や支度金などの前貸しを受ける代償として、一定の期間（三年あるいは五年間）雇用主のもとで働くことを約束する労働形態である。北米のタバコ植民地で、白人労働者に対して一八世紀に導入された。基本的に不自由労働であり、ヨーロッパからの自由移民とは大きく異なる移民であった。このインド人年季契約移民は、一八三〇年代から二〇世紀初頭にかけて、モーリシャス（四五万）、マラヤ（二五万）、英領ギアナ（現ガイアナ。二四万）、トリニダード（一四万四〇〇〇）、南アフリカのナタール（一五万）、太平洋のフィジー（六万）など、各地の英領植民地に向かった。さらに、仏領植民地や蘭領ギニア（現スリナム）を加えると、約一六〇万人のインド人が年季契約労働者として移民した。

しかし、この英領植民地での奴隷制廃止は、あくまでも英領に限定された措置であった。イギリス帝国以外のアメリカ合衆国南部やブラジル、キューバの奴隷制は一九世紀後半まで存続し、イギリスを中心とする自由貿易体制のもとで、安価な砂糖や原棉の生産を支え続けたのである。

東インド会社の特権廃止

一八世紀末になっても、イギリスのアジア地域への関与は増大し、一七八六年にカントリー・トレーダーが中心となって、東南アジア物産を確保する貿易拠点としてペナン島を獲得した。

イギリス東インド会社は、一八世紀後半になるとしだいにインドの統治機関に転化し、商業活動と徴税・本国送金業務が不可分となってその一体性が増大するにつれて、不適切な行為がめだつようになった。一七七三年には「ノースの規正法」が、八四年には「ピットのインド法」が制定され、本国政府による東インド会社への監督・介入が強化された。

一七八四年には、本国のピット内閣は、密輸の防止と関税収入の増収を目的として、本国の茶関税の大幅な引き下げを含めた関税改革を実施した。このため広州からの中国茶の輸入は激増し、対中貿易は赤字に転落した。東インド会社が統括したインド財政は、平時において本国歳入の三分の一の規模に相当する年一八〇〇万ポンドにまで拡大し、中国との貿易は年五〇〇万ポンドの本国向け送金手段を提供していた。東インド会社が所有する軍隊の将校等の役職は、イギリス本国の中産層の人々に社会的地位の上昇の機会を与えた。こうして、東インド会社支配下のインドは、財政・軍事・経済・社会の諸側面においてイギリス植民地帝国の内部で重要な位置を占めるようになった。

ところで、東インド会社の特許状は二〇年ごとに更新された。すでに第1章で述べたように、アジア域内交易での利潤の獲得には、スコットランド系のカントリー・トレーダーやアジア現地商人との協力が不可欠であった。しかし、貿易会社として本来の中核的業務であったイギリス本国と東インド（インド、中国）との間の貿易は、東インド会社の独占権が特許状によって保証されていた。したがって、インド産綿布の「輸入代替産業」として発展してきた、マンチェスターを中心とする本国の綿糸・綿布生産者（綿業資本）にとって、東インド会社の貿易独占は、アジアで新たな輸出市場を確保するうえで障害となったのである。

そこで彼ら本国綿業資本は、対東インド貿易の自由化（自由貿易）を望むようになった。現状維持を望む東インド会社利害関係者と自由貿易を要求する本国綿業資本とのせめぎ合いのなかで、一八一三年には東インド会社のインド貿易独占権が廃止され、三三年には残された特権であった中国貿易独占権も撤廃された。

通常、これらの措置は、綿製品市場の開拓をめざした新興の本国綿業資本、その圧力団体であるマンチェスター商業会議所による反対運動と政治的圧力の結果であると理解されてきた。

しかし、ナポレオン戦争中の一八一三年の貿易自由化は、イギリス本国へのインド産品の流入を促すために取られた戦時の措置であり、東インド会社の支配領域を越えて通商利害を有するロンドン商人の意向を反映していた。また、三三年の中国貿易独占権廃止も、二九年の経済不況で打撃を受けたインド現地の経営代理商（agency houses）が、ロンドンへの送金を確保するために、インド綿製品やアヘンの輸出市場の拡大をめざして対中貿易の開放を強く要求したことから実現したのである。

このように、東インド会社の貿易独占権の撤廃には、イギリス本国のマンチェスターの綿工業者たちが行使した政治的な圧力よりも、むしろ、ロンドン・シティに本拠を置いた通商・サーヴィス利害と、インド在住のアジア間貿易に従事したカントリー・トレーダーに代表されるイギリス商業資本の利害が強く反映されていた。東インド方面においても、アヘンをはじめとするアジア間貿易の伸びとともに、重商主義的規制は撤廃されたのである。

図14　S・ラッフルズ（1781－1826）　自由貿易港シンガポールの基盤を築く。ジャワ副総督時代には、ボロブドゥール遺跡の修復に努め、1817年に『ジャワの歴史』を著した

フランス革命＝ナポレオン戦争は、東南アジアにも飛び火して、ヨーロッパ諸国の勢力拡張に影響を及ぼした。一八世紀を通じて、依然としてイギリス東インド会社とアジア物産の輸入で競争を展開していたオランダ東インド会社は、本国オランダがナポレオン軍に占領されたことと、蘭領東インドでの植民地経営の失敗により、一七九九年に解散に追い込まれた。

イギリス東インド会社の社員であったS・ラッフルズは、一八一一年に蘭領東インドに対する軍事遠征でジャワ島を占領した。だが、ウィーン会議の結果、ジャワ島はオランダに返還された。次いで一九年に、ラッフルズはジョホール王からシンガポール島を買収し、対中国貿易の拠点として自由貿易港の建設に着手した（図14）。二四年三月には、英蘭条約が締結され、両国はマラッカ海峡を境界線として、その東のマレー半島側をイギリスの勢力圏、西側（スマトラ島）をオランダの勢力圏とした。

これ以降のオランダは、イギリスがアジアで確立した自由貿易原理を認めたうえで、そのジュニア・パートナー（従属的な同盟者）として蘭領東インドの植民地支配に専念していくことになった。

シンガポールは、関税のかからない自由貿易港として、東南アジアにおけるイギリスの通商・軍事戦略の拠点として発展した。また、対中貿易で優位に立った英系カントリー・トレーダーだけでなく、広東省出身の中国系商人（華商・華僑《かきょう》）にとっても、東アジアと東南アジアを結ぶ中継貿易の基地として重みを持つことになった。

航海法の撤廃と自由貿易

イギリス本国の貿易政策の転換は、トーリ党リベラル派（リベラル・トーリ）のもとで一八二〇年代から漸進的に進められてきた。航海法体制も、一七九四年のジェイ条約により西インド諸島との貿易においてアメリカ船にイギリス船と同等の権利を与えることで、帝国外地域との結びつきの重要性が確認され、柔軟な運用がなされた。

自由貿易をめざす運動は、経済不況の一八四〇年代になるといっそう強力に展開された。その頂点が、一八四六年まで続いた反穀物法論争であった。穀物法はイギリス農業を保護するため、ナポレオン戦争終結後の一八一五年に制定され、外国産の小麦の輸入を人為的に制限した保護法であった。穀物法に反対したのは、マンチェスターの綿業資本を中心とする製造業利害を代表する中流階級の人々であり、急進主義者のR・コブデンやJ・ブライトらは、圧力団体としての穀物法反対同盟を組織した。

他方、保守党（トーリ党）の首相R・ピールは、本国製造業利害（とくに綿工業）の重要性を認識しており、一八四〇年代初頭からの財政改革を通じて、関税と内国消費税を引き下げるなかで自由貿易の実現をめざしていた。一八四五年にアイルランドでジャガイモの大飢饉が起こり数十万人の餓死者が発生した緊急事態の人道的救済策として、ピールは四六年に穀物法の撤廃に踏み切った。

続いて一八四九年には、航海法が最終的に撤廃されて自由貿易体制への移行が定着した。コブデンとブライトに代表されたマンチェスター派は、海運業の独占廃止による運賃の引き下げ、外国と英領植民地との貿易の拡大、植民地と本国との共存共栄を主張していた。そうした自由貿易政策の要求は、製造業部門の強力な国際競争力を背景に、世界的規模で通商・貿易金融・サーヴィス活動を展開していたロンドンのシティにとっても好都合であった。ここに「旧《ふる》き腐敗」（Old Corruption）の一つであった旧植民地体制（保護主義）は、最終的に解体されたのである。

ラテンアメリカとカニング外交

最後に、一八二〇年代にトーリ党リベラル派によるラテンアメリカ諸国に対する自由主義的外交と、大西洋をはさんだ革命の展開について述べておきたい。

ナポレオン戦争の過程で、スペインの支配下にあったラテンアメリカの諸植民地では、本国がナポレオンに征服されたことをきっかけに、クレオール層が中心となって、自治権の拡大を求める運動が起こり、やがて独立戦争に発展した。ナポレオンの大陸封鎖令によってイギリスと貿易で結びついた彼らは、ウィーン会議により宗主国スペインに王政が復活したのちも、政治的独立のために戦い続けた。クレオールの指導者、サン・マルティンやS・ボリバルの活躍でスペインとの戦いに勝利をおさめ、一八二五年までには大半の地域が独立を達成した。ポルトガル領であったブラジルも、イギリスの庇護《ひご》のもとで、ポルトガルの王子を皇帝として、一八二二年に独立した（図15）。

一八二二年にイギリス外相に就任したカニングは、スペインによる反動的な干渉政策に反対するカニング外交を展開した。この外交政策は、翌二三年にアメリカ合衆国が表明したモンロー主義とともに、結果的にラテンアメリカの新興国の政治的独立を保障することになった。同時にそれは、ラテンアメリカ地域への経済的進出、輸出市場の確保をねらうイギリスの経済利害とも一致するものであった。

以後イギリスは、ラテンアメリカ諸国と通商条約を結び、綿製品・機械類を輸出するとともに、現地で生産された小麦・牛肉（アルゼンチン）、コーヒー（ブラジル）、硝石《しょうせき》（ペルー）

図15　ラテンアメリカ諸国の独立

〈参考〉『図説ユニバーサル新世界史資料』帝国書院、1999年

などの第一次産品を大量に輸入するようになった。自由貿易体制のもとで、ラテンアメリカ諸国は、イギリスへの経済的依存関係を強めていくことになるのである。

2　自由貿易帝国主義と帝国の拡張――一九世紀中葉の帝国

自由貿易帝国主義論と非公式帝国

一九世紀の中葉、一八五〇－七〇年代前半のイギリスの海外膨張をめぐって、ほぼ六〇年前に「自由貿易帝国主義」(imperialism of free trade) 論が提起されてから、その解釈は大きく変化した。

通常、一九世紀の中葉、ヴィクトリア女王治世の半ばの時期は、イギリスが経済的にもっとも繁栄した「黄金時代」と考えられてきた。一八五一年にロンドンで開催された第一回万国博覧会は、イギリスの国際的地位を国民と世界に示す絶好の機会であった。ガラスと鉄で造られた展示館クリスタル・パレスには、イギリスの工業製品だけでなく、世界各地の植民地から集められた物産も展示され、観客はイギリス帝国の偉大さを目のあたりにすることができた。

かつて、この一九世紀中葉は、植民地不要論・分離論が唱えられた「小英国主義」の時代である、という見方があった。たしかに、コブデン、ブライトらマンチェスター派の政治家は、自由貿易、平和主義、自由放任《レッセ・フェール》を唱え、植民地には自治権を与えて本国からの自立を促すなかで帝国防衛の費用を分担させるべきである、と主張した。

しかし、現実の植民地政策は、彼らマンチェスター派の主張とはまったく逆の方向に展開した。現在では、一九世紀中葉のイギリスは、一八八〇年代以降の帝国主義の時代に勝るとも劣らない帝国の領土拡張、海外膨張の時代であると考えられている。一九世紀を通じた海外膨張の連続性を強調するこの主張が、一九五三年に二人のイギリス帝国史研究者、J・ギャラハーとR・ロビンソンが提唱した自由貿易帝国主義論である。

自由貿易帝国主義論の主要な論点は、次の四つに集約できる。このなかでもとくに、(2)と(3)が注目すべき論点である。

(1)時間的二分法の否定　帝国の領土拡張について、一九世紀中葉と後半の連続性を強調する。世紀中葉におけるニュージーランド、インド周辺部、南アフリカにおける植民地獲得の事実を指摘し、白人定住植民地に自治権を与えた政策の再検討をおこなう。

(2)空間的二分法の否定　インド、オーストラリア、シンガポールなど国際法で認められた植民地＝「公式帝国」(formal empire) だけでなく、第1節で述べたラテンアメリカ諸国や、中国、オスマン帝国のように、政治的には独立国（主権国家）であっても経済的にイギリスの圧倒的な影響下に置かれた「非公式帝国」(informal empire) の存在を指摘する。
⑶海外膨張をめぐる非経済的・戦略的要因の強調　一九世紀末の「アフリカ分割」に見られたような植民地(公式帝国)獲得の原因を、経済的利益の確保からではなく、イギリス本国の政治家や現地に派遣された植民地行政官ら「政策担当者」(official mind) の外交・軍事戦略から説明しようとする。
⑷ヨーロッパ中心主義史観批判、すなわち「現地の危機」論と周辺・協調理論　帝国の拡大を、イギリス本国側の要因から説明するのではなく、イギリスは帝国の周辺地域で政争や紛争に予期せぬかたちで巻き込まれ、現地植民地社会のエリート層が政治的に協力したことによって、イギリス帝国の領土が拡大したと主張する。

この自由貿易帝国主義論では、イギリス本国のマンチェスター綿業資本を中心とする工業・製造業利害とイギリスの海外膨張、自由貿易政策との関連性が中心に議論される。その結論として、一九世紀イギリスの海外膨張をめぐる基本的な戦略は、「可能であれば、非公式支配による貿易を、必要ならば、軍事力による公式の領土併合によって」自由貿易を世界各地に強制することであったとされる。

一九世紀中葉においてイギリスの対外政策を一手にになったのが、外相、次いで首相としてイギリス帝国の威信と力を誇示する「砲艦外交」を展開したパーマストンであった。彼はロシア帝国の南下政策を阻止すべく、一八五四—五六年にクリミア戦争に参戦し、フランス、サルディニア（のちのイタリア王国）と協力して戦争を勝利に導き、国民的英雄になった。同時に彼は、「イギリスの通商業者、製造業者のために新たな市場を確保するのは政府の仕事である」との確信をいだいて、自由貿易帝国主義政策を世界各地で積極的に推進した。

この斬新なイギリス帝国の拡張論である自由貿易帝国主義論の解釈の妥当性をめぐって、問題提起がなされた一九五〇年代から論争が続いている。最大の論争点は、非公式帝国という概念をどこまでイギリス帝国の研究に適応できるか、であった。従来のように世界地図で赤く塗られた公式の植民地（公式帝国）だけでなく、主権を有する国家として政治的に独立していてもイギリスの経済的影響下に置かれていた諸地域（非公式帝国）をイギリス帝国研究の対象として容認した場合、帝国がカヴァーする地理的範囲は一挙に地球的規模に広がったのである。

論争では、とくに一九世紀後半のイギリス＝ラテンアメリカ関係が問題になった。ある論者は、砲艦外交を通じたイギリスの非公式帝国の存在を否定し、ブラジル、アルゼンチンなどラテンアメリカ主要国の自立性と、本国の実業界と政府の両利害の乖離を強調した。

その後、多方面で史料が公開されるにつれて、論点は、ラテンアメリカ諸国における鉄道建設と海外投資、個別の企業の経営史、さらにイギリスの金融利害と現地政府の経済・金融政策との関係の研究に広がっている。いまだに、説明概念としての曖昧さを理由に、非公式帝国論を認めない一部の研究者も存在する。しかし、一九九八－九九年にかけて刊行された五巻本の『オクスフォード・イギリス帝国史』講座では、非公式帝国論を全面的に採用してイギリス帝国の盛衰を説明している。

次に、このイギリス帝国拡大の連続説を手がかりに、イギリスの海外膨張の具体例を、二つの異なるタイプの公式帝国である英領インドとカナダ連邦、さらに非公式帝国としての中国と日本の場合を通じて検討してみよう。

異民族支配型の公式植民地——英領インド

イギリスの公式帝国で中心的位置を占めたのが、異民族支配型の植民地、英領インドであった。

第1章で述べたように、インドの植民地化は、イギリス東インド会社が一七六五年にベンガル地方で地税徴税権を獲得し、しだいに貿易会社から行政機関に変化してゆく過程で着実に進んだ。東インド会社の取締役会が、イギリス政府のインド監督局の指導を受けながら統治をおこなった。

インド現地の植民地行政は、インド総督（副王）をトップに、本国から派遣された定員一二〇〇名弱の高級官僚集団であるインド高等文官（Indian Civil Service: ICS）がになない、現地のインド人下級官吏や現地人エリート層の協力と補佐を受けた。ICSの採用には、本国の官僚制に先駆けて早くも一八五三年に競争試験制が導入され、その高給と威信がオクスフォード、ケンブリッジ両大学やパブリックスクールの卒業生の人気を集めた。

また東インド会社は二〇万名を超える独自の軍事力（東インド会社軍）を持っており、本国に送金する資金源を増やすために積極的に支配領域の拡張をおこなった。その政策は、フランスとの断続的な戦争を通じて軍備、とりわけ海軍力を増強した一八世紀後半のイギリス本国と同様に、インド版の「財政軍事国家」ということもできる。一九世紀前半には南インド（マイソール、ハイデラバード）、西部のパンジャブやシンド（グジャラート地方）、北部のアウド地方や、近接するビルマ低地地域などが次々に英領に併合された。これらは、出先機関が本国当局の了解を得ないまま現地の紛争に介入する、R・ロビンソンが提唱した帝国周辺部での「現地の危機」論による領土拡大であった。

一八五七年、東インド会社軍のインド人傭兵（セポイ）が中心となって引き起こした「インド大反乱」（セポイの反乱）をかろうじて鎮圧したイギリス政府は、翌五八年に東インド会社を廃止してインドを国王直轄の植民地とし、現地でインド政庁を率いるインド総督が、本国のインド担当国務大臣（インド相）の指令を受けて統治した。異民族を直轄支配したインドでは、自由貿易帝国主義論に見合うような積極的な国家の干渉と自由放任《レッセ・フェール》政策が同時におこなわれた。次に、植民地に対する国家干渉の具体例として、インドにおける鉄道建設を見てみよう。

インドの鉄道建設——元利保証制度

英領インドでは、一八五三年にアジアで最初の鉄道が、ボンベイとデカン高原の入り口タ一ナを結ぶ路線として開業した。一八四〇年代のイギリス本国での「鉄道熱」に一〇年余り遅れたものの、日本に先立つこと約二〇年、非ヨーロッパ世界では異例に早い時期の鉄道建設であった。

それ以降、インドの鉄道建設は着実に進展し、現在でもインドは約四万マイル（六万四〇〇〇キロ）の鉄道路線を有する世界でも屈指の鉄道王国である。ではなぜ、英領インドで鉄道建設が早期に始まり、急速に路線が延長されたのであろうか。

その第一の要因は、自由貿易帝国主義と密接に関連していた。すなわち、イギリス本国の消費財市場、とくに綿製品の市場として、さらに本国への食糧・原料（第一次産品）の供給地として、インドを商業的に開発することであった。マンチェスターの綿工業利害、英印間の貿易にかかわる商社や経営代理商会、茶農園などの開発と運営にあたったプランテーション業者などが、インド内陸部への経済的浸透を実現する手段として鉄道建設を必要とした。とくにマンチェスターの綿業関係者は、アメリカ棉花の代替供給源として、デカン高原や西部のグジャラート州の棉花栽培地域からインド棉を確保するために、ボンベイ、マドラス（チェンナイ）、カルカッタの三大港湾都市とインド内陸部を結ぶ鉄道路線の建設を現地のインド政庁に要求した。

インドでの鉄道建設にあたって最大の障害になったのが建設資金の調達であり、そのために考案されたのが「元利保証制度」（guaranteed system）であった。これは、鉄道建設にあたる会社の設立と運営を容易にするために、本国のインド相が、払い込まれた鉄道会社の資本全額の保全と、年五％の利子支払いを営業成績に関係なく自動的に保証するという破格の優遇制度であった。東インド会社統治時代の一八四九年に、東インド会社と東インド鉄道会社、大インド半島鉄道会社との間で、元利保証を含む最初の実験鉄道路線建設の契約が結ばれた。その後七〇年までに、一〇の鉄道会社がこの制度の適用を受けた（図16、17）。

しかし、この元利保証制度には重大な欠陥があった。すなわち、インド相（実際には現地のインド政庁）が無条件に払込資本に対して年利五％の利子を保証し、インド政庁が鉄道建設用地の取得を代行し、おまけに経営不振の場合は事業自体を買い上げてくれるという好条

図16　インドの初期鉄道建設と棉花地帯（1868年末現在）

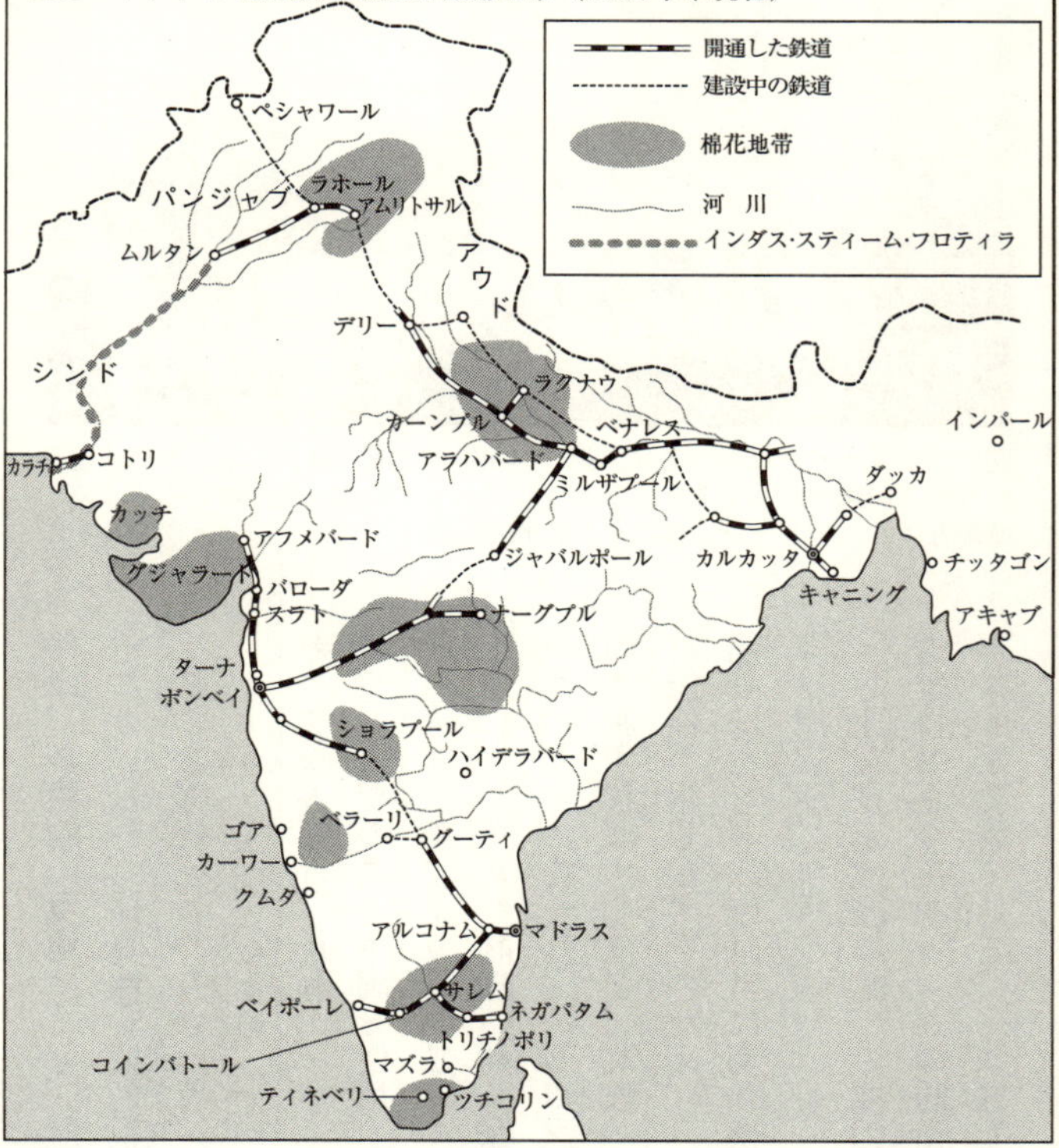

〈出典〉牧野博「イギリスの対インド鉄道投資」、同志社大学『経済学論叢』第19巻4号、1970年

図17　ボンベイ・ヴィクトリア駅　1888年に完成した大インド半島鉄道会社の基幹駅で、世界遺産に登録されている。教会と見間違えるくらい華麗なインド・サラセン様式の代表的建造物

件は、必然的に現地のインド財政に負担を押しつけることになり、採算性を度外視した鉄道建設と鉄道会社の放漫経営につながった。

イギリス本国（標準軌、一四三五ミリ）より一まわり大きな軌間（広軌、一六七六ミリ）を採用し、特注の大型の鉄道車両を使用する鉄道経営は、恒常的に赤字状態であり、利払いの増大がインド財政を圧迫した。インド財政の利子保証の累計負担総額は一八六七年に約一八〇〇万ポンドに達し、鉄道建設が進展すればするほど、財政が破綻《はたん》の危機に瀕《ひん》する可能性が生じた。そのため、六九年にインドの鉄道建設はインド政庁直営に切り換えられて、安価なメートタゲージ（軌間一〇〇〇ミリ）が採用された。

急速な鉄道建設の第二の要因は、インド国内の治安維持および英領インドの防衛戦略という政治的・軍事的な要請である。一八五七－五八年のインド大反乱は、イギリスの統治体制を根底から揺るがした。イギリス本国からの陸軍増援部隊の派兵によって、反乱はかろうじて鎮圧されたが、国内の治安維持と軍隊の円滑な輸送のために鉄道建設の必要性が痛感された。また、一九世紀においてイギリス帝国の仮想敵国であったロシアの南下政策からインド北西国境を防衛するために、ヒンドゥークシ山脈のカイバー峠に接する戦略上の要衝ペシャワールに向けた軍事鉄道の建設が不可欠になった。インド政庁の植民地官僚や軍事関係者も、彼らの利害に一致するかぎり、こうした戦略鉄道の建設を支持したのである。

　鉄道建設の進展にともなって、インド経済は大きく変容した。商品作物の導入によるインド農業の商業化が進行して、土地所有関係は再編された。亜大陸の内陸部で栽培された棉花、小麦、茶、ジュート、油性種子などは、ボンベイ、マドラス、カルカッタ、カラチなどの港湾都市を中心に放射状に広がった鉄道を経由して、イギリス本国だけでなく、欧米諸国や世紀転換期の日本（第４節参照）など、工業化が急速に進展しつつあった諸地域に輸出された。こうして英領インドは、イギリスを中心とする世界経済システムに全面的に組み込まれたのである。

綿製品輸入関税の操作と撤廃

他方でインドでは、以上のような積極的な国家干渉と同時並行で、マンチェスターの綿業資本の政治的圧力を受け、自由放任《レッセ・フェール》的な原理にもとづいて綿製品輸入関税率の一方的な引き下げがおこなわれた。

現地のインド政庁は、インド大反乱の結果生じた多額のインド財政の赤字を理由に、英領インドの関税収入の確保とインド財政の均衡を重視した。財政再建のために、一八五九－六〇年にかけて統一関税が導入されて、イギリス本国産の綿糸と綿布に対する関税率は、それぞれ三・五％、五％から一律一〇％に引き上げられた。本国インド省およびインド相も、インド財政重視の立場からインド政庁の方針を擁護した。

これに対して、本国の綿業資本は、マンチェスター商業会議所を中心にリヴァプール東インド・中国協会などの圧力団体と協力して、本国政府とインド政庁に対して税率引き下げを求めた。マンチェスター側は、インドの輸入関税が自由貿易政策に反してインド紡績業に対する保護関税の機能を果たしていること、植民地インドは本国の経済利害のために存在するのであり、本国産業資本のための関税率操作は当然である、という前提で自由放任《レッセ・フェール》原理にもとづく自由貿易の積極的な推進を主張したのである。

一八六二年になるとインド財政が短期的に好転の兆しを見せたために、インド政庁はマンチェスター側の要求に譲歩して、約一四〇万ポンドのインド財政の黒字予想を理由に、綿製品輸入関税のみを旧水準の綿糸三・五％、綿布五％に引き下げた。

マンチェスター側のインド綿製品輸入関税引き下げの要求はその後も続いたが、本国の政策当局は、自由貿易の原則を認めつつも、インド財政の均衡と関税収入の確保を重視する方針を堅持した。しかし一八八二年には、インド財政状況のさらなる好転を背景に、インド総督リポンは、綿製品輸入関税を全廃した。この時点で英領インドでは完全な自由貿易が実現したのである。その後、インド財政状況が悪化したために、九四年に財政赤字補塡《ほてん》のためにふたたび一律五％の綿製品輸入関税が導入されたが、九六年にはマンチェスター綿業資本の要求によって、それと同率の相殺国内消費税がインド産品に賦課された。

以上のように、一九世紀後半の英領インドでは綿製品輸入関税をめぐって、自由貿易政策とインド財政の歳入確保・安定化をはかり財政再建をめざす政策とが、ほぼ同時並行的に進められ、関税率の操作がおこなわれた。インドでは経済理論の原則よりも、本国の政治的利害が考慮され、本国の政策当局とインド政庁は、インドの財政状況が許すかぎりマンチェスター綿業資本の要求を受け入れたが、最終的には財政均衡主義が優先された。その背景には、現地インド政庁の恒常的な財政難と、インド大反乱以降本格的に着手された鉄道建設、そのためのインド向け資本輸出の増大があった。

当時のインド財政の歳出の最大の費目は、鉄道利払い、軍事費、インド公債利子、文官給与や年金、行政費、備品購入費など、植民地統治の過程で必要とされた諸経費と利払いから構成された「本国費」(home charge) であり、一九世紀後半には歳出の約三割を占めた。第3節で述べるように、イギリスの経済利害の重心は、産業から金融・サーヴィスに移行していたのである。

インド帝国の成立

一八七〇年代になると、インド統治政策そのものが、本国政党政治と密接に結びつくようになった。その立役者が、保守党首相のB・ディズレーリであった。彼は、イギリスの帝国外交政策として、本国からインドにいたる「エンパイア・ルート」(帝国連絡路・インドへの道)を、他のヨーロッパ列強の海外進出から防衛することを重視した。

一八七五年にはフランスの影響力を抑えるために、エジプト副王が所有するスエズ運河株(一七万六六〇〇株。全株式の四四%)を買収した。この買収は、議会に無断でユダヤ系の金融資本ロスチャイルドから四〇〇〇万ポンドの融資(担保はイギリス帝国)を受けておこなわれた。

次いで一八七六年三月には、ヴィクトリア女王に「インド女帝」(Empress of India) の新たな称号を贈る国王称号法を制定した。翌七七年一月にヴィクトリア女王のインド女帝宣言がおこなわれ、イギリス帝国内の帝国である「インド帝国」が成立した。現地のデリーでは、インド総督リットンが旧ムガール帝国の儀式にのっとって大謁見式《えっけん》（ダールバール）を開催し、現地社会の有力者をなだめながら植民地支配を強化する政策が実施された。イギリスの君主制とインドが直結されて、帝国の一体性と偉大さが強調されたのである。

これ以降、インド帝国は独自の軍事力と巨額のインド財政を有する最大の公式植民地として、帝国内部でも独自性を強めていく。西側のペルシャ湾岸諸地域には、駐在官（resident）がインド財政の負担で派遣され、英領インドの通貨ルピーも通用した。

さらに、インドを重視したディズレーリの帝国外交は、一八七七－七八年の露土（ロシア＝トルコ）戦争への介入や、ロシアの南下政策に対抗した七八－八〇年の第二次アフガン（英＝アフガニスタン）戦争を引き起こした。しかし彼は、その冒険主義的な外交を批判して平和主義を訴えた自由党のグラッドストンに、一八八〇年の総選挙で敗れた。

白人定住植民地の自治——カナダ連邦の結成

公式帝国をめぐるもう一つの重要な政策が、カナダ、オーストラリア、ニュージーランド、南アフリカなどの白人定住植民地に対する自治権の委譲であり、その代表例がカナダ連邦の

グリーンランド
(デンマーク)
フランクリン
地区 1895
北 西 準 州
キーウェイティン地区
ニューファンドランド
イギリス領植民地
アンカヴァ地区1895
1912にケベックへ
1898年の境界
ケベック州
1867
インターコロニアル鉄道
プリンス・エドワード島州
1873
オンタリオ州
1867
フォート・
ウィリアム
ポート・アーサー
ケベックシティ
シャーロットタウン
ハリファックス
モントリオール
セント・ジョン
ノースベイ
オタワ
カナダ太平洋鉄道
短距離線 1890
ノヴァスコシア州
1867
トロント
ニュー
ブランズウィック州
1867
フレデリクトン

〈参考〉クリストファー・ベイリ編、中村英勝・石井摩耶子・藤井信行訳『イギリス帝国歴史地図』東京書籍、1994年

結成であった。

カナダは七年戦争終了後の一七六三年のパリ条約により、イギリス帝国に編入され、イギリス系のアッパー・カナダ（オンタリオ）とフランス系のロワー・カナダ（ケベック）から構成された。一八三七年に両カナダで政治の民主化を求めて反乱が起こった際に、新総督のダラム卿は現地の実状を調査して、三九年に『ダラム報告書』を本国政府に提出した。この報告書は、両カナダの統一、責任政府の承認、内政に関する権限の植民地政府への委譲（自治領化）を勧告するものであった。四一年にはこの勧告に従って、両カナダが統合されて連合カナダ植民地が成立し、四八年には責任政府が認められた。ダラム報告をきっかけとして、自治植民地を創設する政策が始まったのである。

自治権の委譲はイギリス政府の側からすれば、統治の経費、とりわけ植民地防衛の経費を現地カナダのエリート層に分担させることで「安価な植民地支配」が可能になった。しかし、植民地の外交・通商権と広大な公有地管理権は依然として本国政府が支配したので、帝国支配をめぐる最終的な決定権はイギリス本国側にあった。したがって自治植民地の創設は、決して植民地分離主義ではなく、本国の利益を守るための安上がりな支配への切り換えにすぎず、イギリス本国での「安価な政府」を補完する手だてであった。「可能であれば、非公式支配による貿易を」という自由貿易帝国主義の論理は、ここでも貫かれたのである。

カナダにとって、すぐ南側に位置するアメリカ合衆国との外交・経済関係が重要であった。アメリカとの互恵条約の締結を通じて関係の強化をさぐる動きもあったが、一八六〇年代以降にイギリス資本による幹線鉄道の建設が本格化すると、イギリス本国の金融利害と結びついた独自の経済開発政策（ナショナル・ポリシー）と強力な中央政府の設立が求められることになる。そして一八六七年七月に、連合カナダに大西洋沿岸の二つの植民地（ノヴァスコシアとニューブランズウィック）を加えて、イギリス帝国内の自治領としてカナダ連邦が発足した。新生カナダは、イギリスの資本輸出と七一年の英米ワシントン条約によるアメリカとの関係改善に支えられて、カナダ太平洋鉄道の建設に着手し、大陸横断国家の建設を進めた（図18）。

オーストラリアとニュージーランド

他方、オセアニア方面では、イギリスの著名な探検家J・クックが、一七七〇年四月にオーストラリア東海岸に到達した。アメリカ独立革命により北米大陸で流刑植民地を喪失したこと、さらに、南太平洋への進出をねらうフランスに対抗するために、一七八六年にイギリス政府は、ニューサウスウェールズ植民地の設立を決定する。八八年一月には、初代総督A・フィリップが、流刑囚約七八〇名を含む約一二〇〇名とともにシドニー湾に上陸した。

初期の植民地社会の建設には、この囚人労働力が重要な役割を演じ、一八六八年までに約一五万八〇〇〇人の囚人が送り込まれた。ただし、ここでいう囚人は、一八一一九世紀転換期の本国イギリス社会において、地域社会の貧民救済費用を軽減するために、軽微な「犯罪」行為によって流刑を命じられた、貧農や貧しい都市労働者、浮浪者等、人為的につくられた流刑囚であった。本国イギリスにおける面倒な社会問題を解決する安価な手段として、オーストラリアへの流刑が利用されたのである。

一八二〇年代になると、ニューサウスウェールズは、羊毛業の発展とともに流刑植民地から英領自治植民地へと変貌《へんぼう》し、自由移民の数も急速に増大した。一八五一年の金鉱発見によるゴールドラッシュで、一〇〇万人にのぼる人々がオーストラリア大陸に流入した。五〇年のオーストラリア植民地政府法によりヴィクトリア植民地の創設が認められ、移民の増加を背景に、五〇年代末までにヴィクトリア、タスマニア、南オーストラリアの各植民地で、イギリスと同様な議院内閣制にもとづく自治政府が設立されて、イギリスによる支配が容易になった。

新たな移民のなかには、金鉱山での安価な労働力として中国系の「苦力《クーリー》」(未熟練の年季契約労働者)も含まれていた。低賃金で長時間労働に従事した彼らアジア系移民は、のちに差別と排斥の対象となった。また一八四〇年には、植民地改革論者のE・ウェイクフィールドの「組織的植民論」（本国社会の過剰な人口対策として植民地への移民を奨励する議論）に影響を受けて、先住民マオリ族とのワイタンギ条約により、ニュージーランド植民地が成立している。

こうして白人が入植する過程で、オーストラリアの先住民アボリジナルとニュージーランドのマオリ族は、合法的な交渉を通じて植民地政府に土地を明け渡すか、非合法の土地占拠（スクオッター）によって強制的に居住地から追い出された。先住民から接収された土地は、入植者たちに安価な値段で売却されて、両国の牧羊業発展の基盤となった。

アヘン戦争と中国

ラテンアメリカ地域とならんで、典型的な非公式帝国をなしたのが、一九世紀後半の東アジア諸地域、清朝と幕末・明治初期の日本であった。

歴史的に見ると、東アジア世界では中華帝国を中心とする独自の国際秩序が形成され維持されてきた。明朝から受け継がれた「朝貢《ちょうこう》」と、中国沿海部での商取引を指す「互市《ごし》」がそれである。朝鮮、ベトナム、琉球《りゅうきゅう》、シャム（タイ）、ビルマなどは朝貢国であり、日本や西欧諸国は互市の対象であった。

清朝は互市を通じた対外貿易を、広州一港に限定する管理貿易体制を敷いていた。イギリス政府は一七九二―九三年に、中国との貿易拡大、自由貿易を求めて、特命全権大使マカートニー使節団を派遣したが、清朝の乾隆帝《けんりゅうてい》によってその要求は拒絶された。一八世紀末の東アジア国際秩序では、依然としてアジア側の論理が優先していた。

だが、第1章ですでに述べたように、現実の貿易関係では、イギリス側の茶消費の急激な伸びを背景に、アジアの三角貿易が形成されており、そのなかでもとくにインドと中国を結ぶ貿易が急成長していた。中国市場開放への圧力は、イギリス本国の製造業利害だけでなく、インドの対英債務支払いのために、インドがアジア地域での貿易で黒字を増やす必要があったことからも説明できる。それを実現するために、インドからの中国向け輸出品であったアヘンの輸出市場の拡大が求められた。インド産アヘンを大量に扱ったカントリー・トレーダーたちは、東アジアにおける自由貿易運動の急先鋒《きゅうせんぽう》であった。

さらに、第1章でふれたように、アヘン輸出の決済にはアメリカ手形が活用された。産業革命の進展にともない、イギリスは大量のアメリカ棉を輸入したが、その支払手形であるアメリカ手形が広東で取り引きされ、最終的な決済はロンドン金融市場でおこなわれた。産業革命の進行とともに、さらに多くのインド産アヘンが中国に流入する貿易決済構造が形成されたのである。

清朝においてアヘンは麻薬の禁制品であったが、一八世紀末からその消費量は増大し、一八三八年には四〇〇万人分のアヘンが消費されたといわれている。アヘンの密輸と密売にともなう弊害（アヘン中毒）を無視できなくなった清朝は、一八三九年に、有能な官僚林則徐《りんそくじょ》に命じて、イギリス商人（カントリー・トレーダー）からアヘンを没収、廃棄した。この措置に対する報復が、パーマストン外相の主導による第一次アヘン戦争の勃発につながったことはいうまでもない。

一八四〇―四二年の第一次アヘン戦争の結果結ばれた南京《ナンキン》条約によって、清朝はイギリスに香港島を割譲し、広州、廈門《アモイ》、福州、寧波《ニンポー》、上海の五港を開港して、賠償金二一〇〇万テールを支払った。四三年の虎門寨《こもんさい》追加条約では、領事裁判権（治外法権）、開港場での借地権、一方的な最恵国待遇（あとで第三国と結ばれた協定や条約に含まれる有利な条件や待遇を、自動的に元の締結国にも適用する条項）を認めた。同じような不平等条約がアメリカ合衆国やフランスとも結ばれて、開港場には租界が設置された。とくに長江（揚子江）の支流黄浦江《こうほこう》に接する上海は、イギリスのジャーディン・マセソン商会やスワイヤー商会など、欧米の商社の支店が開設されて、外国と中国内陸部をつなぐ港湾都市として急速に発展した。五四年には、関税の徴収をおこなう中国側の行政機関である洋関（開港場に設けられた税関で、外国人税務司が管理した）が創設され、のちに有能なイギリス人のR・ハートが総税務司に就任することになった。

しかし、中国市場に対する期待はすぐに失望に変わった。イギリスの産業界を中心に条約内容の忠実な実行を渋る清朝政府に対して批判が高まることになる。首相パーマストンは、一八五六年のアロー号事件を口実として、フランスとともにアロー戦争（第二次アヘン戦争）を引き起こした。その結果五八年に結ばれた天津《テンシン》条約では、内地旅行の自由、長江の開放、開港場の拡大、キリスト教布教の自由などが認められた。条約の批准をめぐる紛糾から、英仏の連合軍は首都北京《ペキン》を脅かして皇帝の離宮であった円明園《えんめいえん》を破壊した。六〇年の北京条約では、香港・九龍半島の割譲や苦力《クーリー》の海外渡航の自由などが認められた。

開港場体制と上海の発展

こうして、中国の領土の一体性と北京の中央政府の政治的権威を温存しながら、自由貿易の原理を強制してヒト・モノ・カネの自由な移動を保証する「開港場体制」が成立した。上海の英米両租界は一八六三年に統合され、九九年には、共同租界と改称された。

中国における開港場体制の中心は、上海と香港であった。香港はイギリスの直轄植民地となり、シンガポールとならんで、東アジア地域における王立海軍の根拠地として整備されるとともに、関税が課されない自由貿易港として発展した。

他方、上海は、当初は広大な後背地を持つ内地通商圏との接点の貿易港として急速に発展したが、一八七〇年代からは、金融・サーヴィス活動の拠点として重要性を増すことになる。一八六五年に設立された香港上海銀行を筆頭に、イギリス系植民地銀行（イースタンバンク）や、ドイツ、フランス、ロシアの海外銀行の支店が開設され、七一年には海底電信ケーブルが上海まで開通し、さらに長崎に延長された。共同租界を有する上海は、海運、海上保険、貿易金融や開港場の公益事業などのサーヴィス業務の中心地として、東京を上まわる東アジア随一の国際都市として発展していく。現代の上海の経済的繁栄の基盤は、この時期につくられたのである（図19）。

図19　開港場上海の外灘地区　上海租界の黄浦江沿いの外灘（バンド）には、欧米系の銀行や商社が進出した

中国に対する砲艦外交では、「帝国拡張の先兵」インド軍が動員された。インド軍は、インド財政の負担で維持され、イギリス政府とインド政庁が自由に海外へ派遣できる緊急展開部隊として、インド洋周辺の地域やインドの北西国境地帯を中心に、アジア・アフリカの各地に派兵された。イギリス帝国拡張と防衛の経費は、白人自治領もその一部を負担し

たが、その大半はインド財政に押しつけられたのである。第一次アヘン戦争では、約五八〇〇名のインド軍が広東に、第二次アヘン戦争（アロー戦争）では約一万一〇〇〇名のインド軍が北京の攻略に動員された。ただし、この場合の中国遠征の経費は、本国側が負担した。

イギリスは中国以外のアジアの諸地域でも、同じような砲艦外交を展開して修好通商条約のネットワークを築き上げた。西アジア（中東）のオスマン帝国（一八三八、六一年）やカージャール朝ペルシャ（一八四一、五七年）との通商条約締結がその先例となった。一八五〇年代中葉には、東南アジアの緩衝国であったシャム（タイ、一八五五年）とも修好通商条約（バウリング条約）を締結した。

対日政策と不平等条約——片務的最恵国待遇

幕末の日本も、イギリスによって一八五八年に修好通商条約を押しつけられ、開国を余儀なくされた（安政の五ヵ国条約）。この条約は、他のアジア諸国の場合と同様に、領事裁判権の承認（治外法権）、関税自主権の欠如、さらに片務的最恵国待遇の容認を含む、不平等条約であった。

これらのうち、三番目の片務的最恵国待遇がアジア国際秩序の変容を考えるうえで決定的に重要である。それは、アジア諸国が、最恵国待遇を一方的にすべての欧米諸国に与える、という規定であった。そのため、欧米諸国は労せずして特権を確保することが可能になった。イギリスは、幕末の日本に対しても砲艦外交を展開した。尊王攘夷《じょうい》運動の高揚のなかで一八六二年九月に起こった生麦事件に対する報復としての薩英《さつえい》戦争（六三年八月）、長州藩に対する六四年八月の四ヵ国連合艦隊下関砲撃事件が、その典型であった。さらに、攘夷派による外国人襲撃事件に対する防衛措置として、英仏両国は六三年六月以降七五年まで、横浜居留地に約一三〇〇名の駐屯軍を派兵した。その主力部隊は、中国の場合と同様にインド軍であった。

こうして、幕末・明治初期の日本も、イギリスの非公式帝国に編入された。世界の低開発地域を、工業製品市場、原料や食糧の第一次産品供給国、さらに資本やサーヴィスの輸出先として再編成し、イギリスを中心とする世界経済体制を築き上げるという世界戦略は、国家の支援を得て実施されたのである。ただし、日本や中国の場合は、片務的な最恵国待遇の条項を含む不平等条約を押しつけられたものの、結果的に、その条項によって、欧米列強間で利害の調整と政策の協調・牽制がおこなわれることになった。一国だけが排他的に突出した独占権、特権を確保することは慎重に回避され、東アジア現地政権である清朝政府や明治新政府の主権が維持され、現地政権との共存が模索された。その点が、公式帝国として植民地化された南アジアや東南アジア諸地域と異なる点であった。

幕末・明治時代前半に日本に駐在したイギリス外交官には、『大君《たいくん》の都』を著したR・オルコック（一八五九—六五年、公使）、日本アジア協会（Asiatic Society of Japan）会長を務めたH・パークス（一八六五—八三年、公使）、『一外交官の見た明治維新』や詳細な日記を遺した親日派のA・サトウ（一八六二—八三年、通訳。一八九五—一九〇〇年、公使）など、東アジア情勢に通じ、のちの日本研究の発展に貢献した人がめだつのも事実である。明治初期には、多方面で近代化を達成するため多くの「お雇い外国人」が雇用されたが、鉄道技師のE・モレル、法律顧問のF・ピゴットなど、その多くはイギリス人であった。とくに、実学教育の面では、灯台設計のH・ブラントンや工部大学校を設立し工学教育に尽力したH・ダイアなど、スコットランド出身者も多かった。

3 ジェントルマン資本主義の帝国——金融と帝国

ジェントルマン資本主義論

近年注目を集めている新しいイギリス史解釈として、二人のイギリス帝国史家、P・J・ケインとA・G・ホプキンズが提唱する「ジェントルマン資本主義」（gentlemanly capitalism）論がある。

その学説の新しさは、イギリス資本主義の特質を、従来のように一八世紀末の産業革命をきっかけとする工業化の進展と製造業の発展を中心に置いて考えない点にある。つまり、イギリスの伝統的な大土地所有者である地主・貴族層がになった農業資本主義、のちに台頭してくるロンドンのシティを中心とする金融・通商利害で構成されたサーヴィス資本主義、やがてその両者が合体して成立するジェントルマン資本主義の発展を重視して、その利害が一六八八年の名誉革命から始まるイギリス近代史の海外膨張の過程に反映されていた、と主張する点にある。

この歴史解釈によれば、イギリス産業革命の歴史的意味は相対化され、イギリス経済のなかでもモノづくりに携わる工業・製造業に対する、カネをめぐる金融・サーヴィス部門の優位、イングランド北西部の工業地帯に対するロンドンのシティとイングランド南東部の経済的繁栄と富の蓄積が強調される。

この新しい学説は、非ヨーロッパ諸地域での「現地の危機」を重視する周辺理論とは異なり、イギリスの海外膨張・帝国主義の原因の説明を、本国側の経済的要因に求めて、イギリス国内史と帝国史を結びつけて共通の枠組みで理解しようとする。ケインとホプキンズの刺激的な問題提起には、(1)イギリス資本主義の構造の転換をめぐる問題、(2)海外膨張をめぐる非公式帝国の意味と位置づけをめぐる問題、さらに(3)第一次世界大戦以降に明らかになった、いわゆる「イギリス経済の衰退」をめぐる問題が含まれている。

この問題提起を通じて、イギリス帝国史研究はふたたび脚光を浴びるようになった。しかし、その斬新な歴史解釈をめぐっては、欧米の歴史学界を中心にして世界的な規模で批判と論争がおこなわれている。ケインとホプキンズは、カナダやオーストラリアなど白人定住植民地（自治領）諸国の重要性にあらためて注意を促すだけでなく、世紀転換期の中国、オスマン帝国、南アメリカ諸国におけるシティの金融力を通じた「見えざる帝国」（invisible empire; informal empire）の重要性を強調する点で、先行したギャラハーとロビンソンの議論との共通性が見出される。

ロンドン・シティの繁栄

イギリスのサーヴィス経済を支えたシティは、この論争を通じてあらためて注目されることになった。それは、いったいどのような歴史的特徴を持つのだろうか。

シティは、ロンドン市内東部のイングランド銀行を中心とする、わずか一平方マイル（一・六キロ四方）の地域である。二〇世紀初頭のシティには、個人の金融業者で海外金融に精通したマーチャント・バンカー、一〇〇〇行を超える海外銀行の本支店や代理商、さらに大規模なイギリスの株式預金銀行の本店、世界最大のロイズ保険協会に代表される海上保険業、アジア航路を運営しアヘン貿易でも利潤を得たP&O汽船会社など、イギリスの海外貿易にかかわる中枢機能が集中していた。

序章でも言及したように、現代のシティは、サッチャー政権が一九八六年に実施した大幅な金融自由化政策であるビッグ・バン以降、世界の主要銀行や証券会社が競って進出したため、さらに国際性が豊かになった。日本の主要金融機関も支店を構え、約五万人に達するロンドンで働く日本人も、何らかのかたちでシティにかかわっている。現代においてもニューヨークのウォール・ストリートとならんで、世界の国際金融の中心地である。また、現代イギリス経済の好況を支えるのも、シティの金融・証券・保険を中心とするサーヴィス経済部門である。

その好調さは、テムズ川沿いのかつての海外貿易の拠点、ドックランドの再開発につながった。ドックランドは、いまやシティを補完する第二の金融センターとなり、隣接地域でも二〇一二年のロンドン・オリンピックに合わせて再開発がおこなわれ面目を一新した。

このシティの経済的繁栄の歴史的起源は、一七世紀末の財政革命にあった。財政革命の過程で設立されたイングランド銀行、東インド会社、南海会社などを通じて、富を蓄えた金融利害の関係者は、疑似ジェントルマンと呼ばれるイギリス特有の社会集団を構成した。彼らは、大土地所有者を中心とするイギリスの伝統的なジェントルマン文化を共有してきた。

しかし、一九世紀末になると両者の関係が逆転して、シティの金融利害の関係者が地主階級を吸収して新たな支配階級「ジェントルマン資本家層」を形成した。シティは、開放的な経済体制の最大の恩恵を受けて繁栄した金融・サーヴィス部門をになうさまざまな業務と人々で構成されていたが、その中心は、海外証券の引き受け業務をおこなったロスチャイルド商会やベアリング商会に代表されるマーチャント・バンカーであった。

もともと彼らは、一八世紀後半からシティが勃興する過程でヨーロッパ大陸から移ってきた外国人の金融業者であった。やがて、彼らはシティ独特の慣習に染まり、イングランド銀行の取締役をはじめとする重要人物との人脈（パトロネジ）を築いて、シティの上層部に受け入れられていった。その意味で、シティは新参者に対しては、一定の社会的な開放性と流動性を持っていたのであり、それがシティの経済的な繁栄を支えていたともいえる。

「大不況」と世界経済の構造的再編——多角的決済機構の成立

経済史において、一九世紀末の第四・四半期にあたる一八七三－九六年は「大不況」（the Great Depression）期と呼ばれる。イギリス経済は一八七三年のドイツに始まる世界恐慌から慢性的な不況におちいり、一八七九年恐慌、一八九〇年のベアリング恐慌（アルゼンチン投資をめぐる金融不安）をへて九六年にいたるまで、長期にわたる不況から抜け出せなかった。

この「大不況」は、イギリス帝国経済の構造の変化と世界経済の再編をもたらした。「大不況」の原因は、後発の資本主義諸国の急速な工業化と、第一次産品生産国が本格的に世界市場に編入されたことによる世界の一体化、グローバル化の急速な進展であった。この時期には、アメリカ合衆国とドイツが急速な工業化を進め、鉄鋼をはじめとする資本財や石炭の生産でイギリスを追い抜き、一八九〇年代にはロシア、イタリア、日本などの「半周辺」の資本主義国も工業化に乗り出して、世界経済はこれらの後発の資本主義諸国が工業化を競う段階に移行した。イギリスは「世界の工場」から三大工業国の一つに転落し、製造業の国際競争力も低下して工業製品の輸出が停滞した。

また、一八六九年には世界の交通・運輸事情を革命的に変えた二つの事業が完成した。スエズ運河の開通とアメリカ大陸横断鉄道の完成がそれである。二年前の六七年に開設された蒸気船による太平洋横断航路と組み合わせると、ジュール・ヴェルヌの小説『八十日間世界一周』が現実のものになった。

この運輸革命を通じて、欧米向けの食糧・原料輸出を媒介に、ラテンアメリカ諸国、カナダ、インド、オーストラリア、東南アジア諸国などの遠隔地の第一次産品生産国が本格的に世界市場に組み込まれた。一八九〇年代には食品加工技術が発展して、イギリスの農業は第一次産品生産諸国からの安い農畜産物の大量輸入にさらされ、破滅的な「農業大不況」に直面した。食糧の輸入は原料輸入を上まわり、九〇年代には全輸入額の四五％を占めたのである。

「大不況」を通じてイギリスの貿易収支の赤字額は倍増した。そもそもイギリスの貿易構造（貿易収支）は、「世界の工場」といわれた世紀中葉を含め、一九世紀を通じて一貫して赤字であったが、その赤字額が急増したのである。この時期の世界経済の構造を、イギリスを中心に考えると、次のような構図が浮かび上がってくる。

(1)イギリスは恒常的な輸入超過の状態にあった。

(2)イギリスに代わって、ドイツとアメリカ合衆国の第一次産品生産諸国に対する食糧や原料の需要が、世界経済の再編を左右するようになり、両国とも第一次産品生産諸国、とくにインドに対して貿易赤字を出した。

(3)インドなどの第一次産品生産諸国は、ドイツとアメリカ合衆国への食糧や原料の輸出で獲得した貿易黒字で、イギリスから綿製品をはじめとする消費財を輸入した。

(4)いまやイギリスは、ヨーロッパと北米大陸で工業製品の輸出市場を失い、インド、中近東、東アジアに綿製品を中心とする消費財の輸出を集中して、その地域でのみ貿易黒字を獲得することができた。

このような特徴を持った世界経済のもとで、貿易決済の主要な手段であったスターリング

（ポンド）手形を通じて、以上述べた(1)から(4)のような順番でポンドが世界中を循環する仕組み、いわゆるイギリスを中心国とする「多角的決済機構」が二〇世紀初めに確立された。この多角的決済機構を維持するためには、①イギリスが、ドイツやアメリカ合衆国の保護関税にもかかわらず、開放的な自由輸入の体制を維持すること（いわゆる自由貿易の逆説）、②イギリスからインドへの消費財の大量輸出を通じて、インドが欧米諸国から稼いだ膨大な貿易黒字を吸い上げること、この二つの条件が是非とも必要であった。

「世界の工場」から「世界の銀行家・手形交換所」へ

「大不況」期にイギリス資本主義の構造は大きく変化した。

次に、マクロな国際収支のレベルから、その変化をながめてみよう。国際収支（経常収支）は通常、貿易収支と貿易外収支から構成されるが、この時期にはイギリスの貿易外収支にも大きな変化が見られた。

イギリスでは一九世紀の前半から、海運料収入、貿易商社の手数料、保険サーヴィス料、利子・配当収入などで構成される貿易外収支の黒字で、増大する貿易赤字を補うような国際収支の構造が定着していた。貿易外収支のなかでは、一八七〇年代前半までは海運料収入が最大であったが、「大不況」期になるとそれが停滞して、逆に、利子・配当収入は一八七六一八〇年に海運料収入を上まわって急速に増え、二〇世紀の初めには利子・配当収入だけで貿易赤字を埋め合わせるようになった。

その背景には、イギリスから海外諸地域への資本輸出の急増があった。海外投資の総額は、一八七五年に一〇億ポンドを超え、二〇世紀の初頭には三〇億ポンドに達した。その投資先は、オーストラリア、カナダなどの自治植民地や南米のアルゼンチン（非公式帝国）などの第一次産品生産国とアメリカ合衆国に集中し、とくに八〇年代の後半以降は、自治植民地に向けられた投資が急増した。一貫して増え続けた公式帝国インド向けの投資と合わせると、イギリス帝国内部での投資が増大した。投資の対象は、公共事業や鉄道建設にかかわり各国政府が発行した債券と鉄道会社の証券などの、証券投資が中心であった。

イギリス製造業の国際競争力が低下したために、インドや東アジア諸国への投資を除くと、資本輸出がイギリス本国の製造業に対する追加的な需要をもたらすことは少なかった。逆に、ドイツやアメリカ合衆国からの資本財輸出（金属・機械類）を促すことになり、海外投資をめぐってイギリスの製造業利害と金融利害は相反する傾向にあった。

国際収支全体の構造を見ると、イギリスは、アメリカ合衆国とヨーロッパ諸国との間で生じた膨大な赤字（二〇世紀の初頭で約九五〇〇万ポンド）を、インドからの巨額の黒字（約六〇〇〇万ポンド）とオーストラリア、東アジア諸国、トルコからの黒字（合わせて約三三〇〇

図20　1910年における世界の多角的決済概念図（単位：100万ポンド）

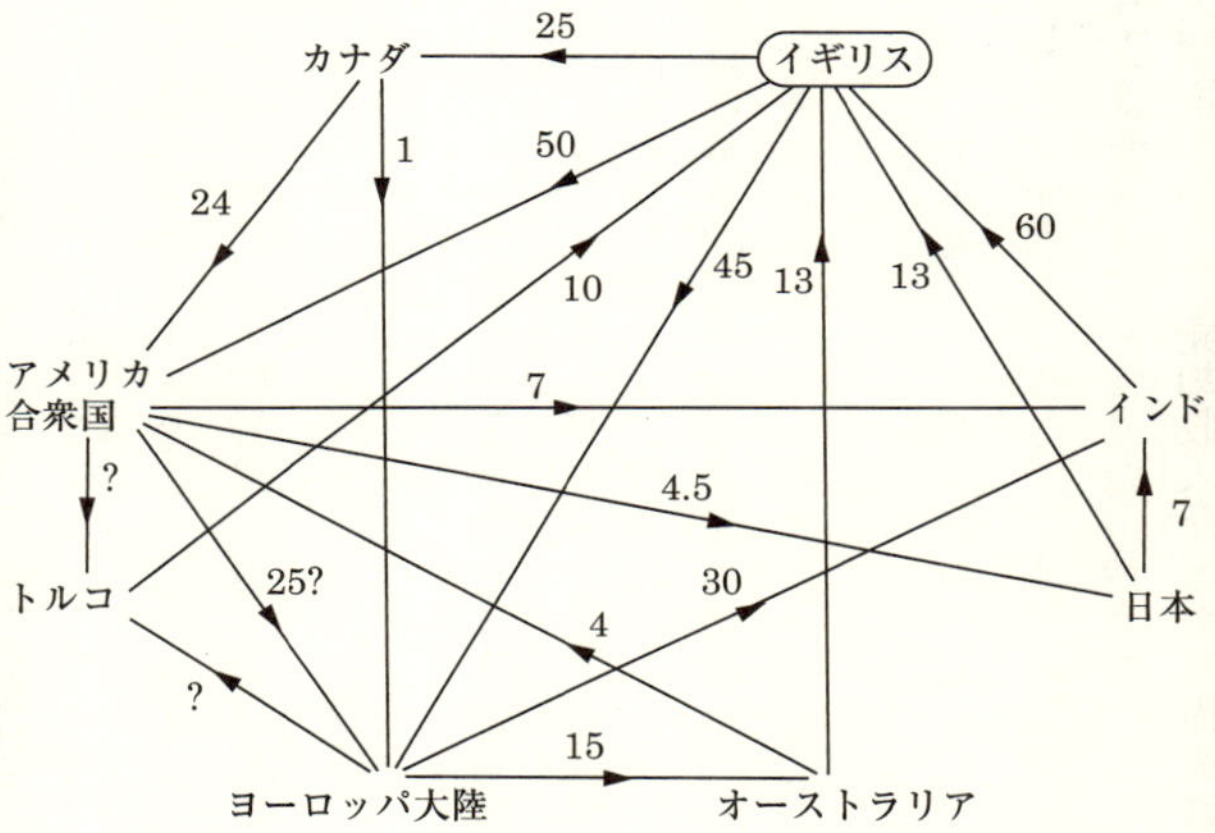

〈出典〉 S・B・ソウル、久保田英夫訳『イギリス海外貿易の研究』文眞堂、1980年

万ポンド）で埋め合わせることで収支の均衡を維持した（図20）。

以上から明らかなように、二〇世紀初頭のイギリスは、膨大な貿易赤字を貿易外収支、とくに利子・配当収入で埋め合わせながら資本輸出を増やして、多角的決済機構の中心国、国際金融の基軸国になった。いまやイギリスは「世界の工場」（工業製品の輸出国）から、「世界の銀行家」「世界の手形交換所」（金融・サーヴィスの中心地）へと経済活動の重心を移しながら、世界経済の中心地としての地位を維持できたのである。

インドの安全弁――「イギリス王冠の輝ける宝石」

多角的決済構造の運用にあたり、インドからの黒字は決定的に重要であった。この国際収支をめぐる「インドの安全弁」は、本国からの消費財（綿製品）の大量輸出を通じて、インドが欧米諸国やアジア間貿易で稼いだ貿易収益を吸い上げる「強要された貿易黒字」と、植民地統治にともなう本国費が、毎年自動的にインド財政から支払われる財政的な収奪を前提として、初めて有効に働いた。

ところで、一九世紀後半において本国費は、その概念と算定方法により違いがあったが、インド財政の歳出の約三割を占めた。そのなかでも一九－二〇世紀転換期にかけて急増したのが、鉄道証券利子と軍事費であった。

本国費は基本的にポンドで支払われた。したがって、本国費の支払い額は、国際金本位制の基軸通貨であったポンド（スターリング）とインド現地通貨ルピーの交換比率に大きく規定された。

一八七〇年代後半からの国際的な銀価格の下落は、銀本位制を採用していたインド財政の安定に深刻な影響を及ぼした。銀価の低落と連動したルピー為替相場の低下は、インド政庁の本国送金総額を膨らませた。他方で、インド歳入は、インド農民から徴集する地税、塩税や輸入関税、アヘン売却収入などから構成された。しかし、地税や塩税の増税は農民の反発を招くために政治的に無理であり、収入関税としての輸入関税も、すでに述べたように本国綿業資本の政治的圧力のもとで、その税率の引き上げは難しかった。こうした事情によって、歳入の大幅な増収は無理であったために、銀価格の低落を通じて、インド政庁の実質的な財政負担が増大したのである。

その打開策として一八八〇－九〇年代に議論されたのが、銀の使用増加をめざす金銀複本位制であり、一八八六年にはその圧力団体として複本位制同盟が結成された。複本位制の実現を求めた運動は、インド市場向けの綿製品輸出の停滞状況を打開しようとするイギリス綿業資本、「大不況」下の失業問題を危惧《きぐ》する本国の綿業労働者、さらに農業不況による農産物価格下落の対策として通貨インフレを望むイギリスの地主層を巻き込んで、イギリス本国でも広範な広がりを見せた。同じ八六年には、インド問題を中心とする金銀価格の変動を調査するために、本国議会に金銀調査特別委員会が設置されて、金本位制と複本位制をめぐる論争はさらに深化した。しかし、一八九〇年代になると、銀価のいっそうの下落にともない、金本位制論がしだいに優位を占めるようになった。

こうした国際的環境のもとで、インド政庁は、イギリス本国のインド通貨調査特別委員会の勧告に従って、一八九三年に、インドにおけるルピー銀貨の自由鋳造を停止した。これにより、ルピー銀貨は実質的価値を失い、ポンドとルピーの交換レートは、現地通貨ルピーの切り上げ（一ルピー＝一シリング四ペンス）のかたちで固定されて、インド財政の破綻と債務不履行は当面回避されたのである。

一八九四年には、財政赤字補塡のために綿製品輸入関税が再導入され、その代償措置として九六年には同率の相殺国内消費税がインド産品に賦課されて、インド財政の再建と安定化がはかられた。最終的には、九九年のインド鋳貨・紙幣法によって、金貨の流通をともなわない金為替本位制が導入され、本国費の円滑な支払いが続けられた。

世紀転換期の英領インドでは、政策面でのロンドン・シティの金融利害優位の構図は変わらず、金本位制が堅持された。シティの金融・サーヴィス利害の擁護をもっとも重視するイギリス本国政府の金融・通貨政策は、インドでも貫徹されたのである。インドは、ポンドの価値が金で保証されポンド通貨が世界中で通用した国際金本位制、いわゆる「ポンド体制」の最大の安定要因、安全弁であり、その意味で、世紀転換期のインドは、「イギリス王冠の輝ける宝石」であった。

では、英領インド以外の植民地、帝国諸地域の状況はどうであったのか。少し時間をさかのぼり、アイルランドとアフリカ諸地域（アフリカ分割）を見てみよう。

アイルランド自治問題の紛糾

一八〇一年の議会合同によって国内植民地になったアイルランドでは、一八七九年に始まる「農業大不況」の際に、パーネルを指導者とするアイルランド土地同盟が結成され、借地農民の権利の擁護をめざした土地改革闘争が展開された。

パーネルはアイルランド国民党の党首も兼ねており、一八八〇年の総選挙で六四議席を獲得したアイルランド国民党は、イギリス議会で自由・保守両党に次ぐ第三党の地位を確立した。自由党首相のグラッドストンは、八一年に第二次アイルランド土地法を制定して、借地権を強化しながら公正な地代を実現する方針を打ち出した。しかし、高まるアイルランドのナショナリズムを背景にして、翌八二年には新たにアイルランド国民同盟が結成され、アイルランドの自治を要求するようになった。

かねてからアイルランドの宗教と土地をめぐる問題の解決に努力してきたグラッドストンは、国内の政治諸改革が実現した一八八五年の夏以降は、残された政治課題として彼独自の政治的な使命感に動かされて、アイルランド自治問題の解決のために最後の情熱を傾けるようになった。八五年一一月の総選挙で八六議席を獲得したアイルランド国民党は、与野党の議席数が均衡するイギリス議会で国政を左右できる決定的な影響力（キャスティング・ヴォート）を握った。国内植民地であるアイルランドの意向が、ウェストミンスターの本国議会アイルランド選出議員を通じて、本国政治に決定的影響力を及ぼすことのできる、逆説的な政治状況が生まれたのである。

一八八六年四月、グラッドストンはアイルランド自治法案と土地購入法案を議会に提出した。アイルランド自治法案は、(1)外交・関税・通貨・国防などの「帝国条項」を除いて広い範囲での立法権を持つアイルランド議会の設置、(2)アイルランド選出議員のイギリス本国議会からの引き揚げを柱とし、カナダ連邦方式の自治権の委譲を規定していた。それは、連合王国の編成の基本的な原理を揺るがすような衝撃的な提案であった。

しかし、この二つの法案は、アイルランドの土地問題の解決が本国に波及することを恐れた自由党のホイッグ派(大土地所有者)と、アイルランドの市場を失うことを懸念したJ・チェンバレンを中心とする新急進主義者の拒否、さらに、帝国の統合を重視した保守党の反対で否決された。

アイルランドとイギリス本国との連合の維持(union)を主張した反対者たちは自由党から離脱して、新たに自由統一党を結成した(自由党の分裂)。一八八六年七月の総選挙では、アイルランドへの自治権の委譲に反対した保守党が大勝して、第二次ソールズベリ内閣が成立した。

このような本国の政界の政治的な大変動が、アイルランド問題をきっかけに引き起こされたことが重要である。内政と帝国外交政策が重なった最大の帝国植民地問題は、ついに連合王国の編成の基本的な原理を揺るがすにいたり、一九世紀中葉以来、二大政党の一角を占めた自由党を支えてきたグラッドストンの自由主義は完全に破綻した。これ以降、ほぼ二〇年間にわたって自由党の影響力は低下し、世紀転換期に見られた帝国主義的な海外膨張政策は、アイルランド自治に反対して帝国連合を主張したチェンバレンと保守党（統一党）を中心に展開されることになるのである。

エジプト占領と「ハルトゥームの悲劇」——アフリカ分割への道

アイルランド自治問題で破綻したグラッドストン自由主義は、それに先立ち、アフリカ各地のナショナリズムの運動に直面して、その限界を露呈することになった。

まず、南アフリカのトランスヴァールでは一八八一年二月、オランダ系のボーア人がマジュバの戦いでイギリス軍を破り、事実上の独立を達成した（第一次英＝ボーア戦争）。平和を求めたグラッドストンは、八四年二月のロンドン協定で、イギリスが内政に干渉する権利（宗主権）を残したうえでトランスヴァールの独立を認めた。だが、この曖昧な解決が、世紀末にイギリス帝国全体を揺るがした南アフリカ戦争（第二次英＝ボーア戦争）の間接的な原因になった。

他方、北アフリカのエジプトでは、一八七九年から英仏両国が現地の政府に対して、借款の返済を強制して国家の財政を管理したことが民衆の反発を招き、八一年九月に軍部のクーデタにより、親英派の政権が倒れた（アラービー・パシャの反乱）。イギリスは、エジプト社会の有力者を「協力者」として利用する、非公式な自由貿易帝国主義にもとづく政策の見直しを迫られた。

一八八二年六月にアレキサンドリアで起こった反英暴動への対応に苦慮した平和主義者のグラッドストンは、外債の保護とスエズ運河の防衛を理由に軍事的な干渉を主張したJ・チェンバレン、C・ディルクら閣内の強硬派の政治的な圧力と現地の情勢に押されて、結果的に、イギリス軍単独のエジプト占領を認めるはめになった。

さらに翌一八八三年、エジプトの属州のスーダンでいわゆる「マフディー教徒の反乱」が起きると、グラッドストンはエジプト軍の救出のために、中国で太平天国の乱の鎮圧に功績のあった「中国の英雄」ゴードン将軍を、現地のハルトゥームに派遣した。逆に、ゴードンが八四年にマフディー教徒に包囲されて窮地におちいると、イギリスでは救援軍派遣の世論が高まった。

スーダンの民族運動に対して理解を示し、平和主義を唱えていたグラッドストンも、エジプトの場合とまったく同じように、閣内の強硬派や世論の強い圧力を受けて、自らの意志に反して救援軍の派遣を認めた。しかし八五年一月末、援軍の到着の二日前にゴードンが戦死し、「ハルトゥームの悲劇」が引き起こされた。この大失態に対して、イギリスの世論はいっせいに反発し、グラッドストンは「ゴードンの殺害者」として非難され、彼の政治的な威信は失墜した。

こうした一連のアフリカにおけるナショナリズムへの対応のまずさと曖昧さが、グラッドストン本人の政治的な信念に反して、アフリカでの帝国領土獲得の競争を促すことになった。エジプト占領をめぐり悪化したフランスとの関係を改善し、ドイツの支持を得るためにも、イギリスは両国のアフリカでの領土獲得・保護国化（フランスのチュニジア、ドイツの東アフリカ）を容認した。また、グラッドストンはしばしば議会においてエジプトからの撤兵を約束したが、彼の保証にもかかわらず、エジプトはインド統治経験を持つ行政官（イギリス総領事）クローマーのもとで、事実上の植民地として統治体制が整備された。

ちょうど同じ時期の一八八四年一一月－八五年二月に開催された、ベルリン西アフリカ会議には、アフリカに利害を持つと主張する一四か国が参加した。その会議では、アフリカ大陸における植民地や勢力範囲を獲得するルール（河川の自由航行・自由貿易の保障、奴隷貿易の禁止と現地住民の保護、実効的な支配の必要性）を、欧米列強が話し合いによって一方的に決めた。イギリスは、西アフリカのニジェール川流域における勢力圏を確保するとともに、中部のコンゴ川流域では、ベルギー王のコンゴ自由国による支配を認めさせた。コンゴ川流

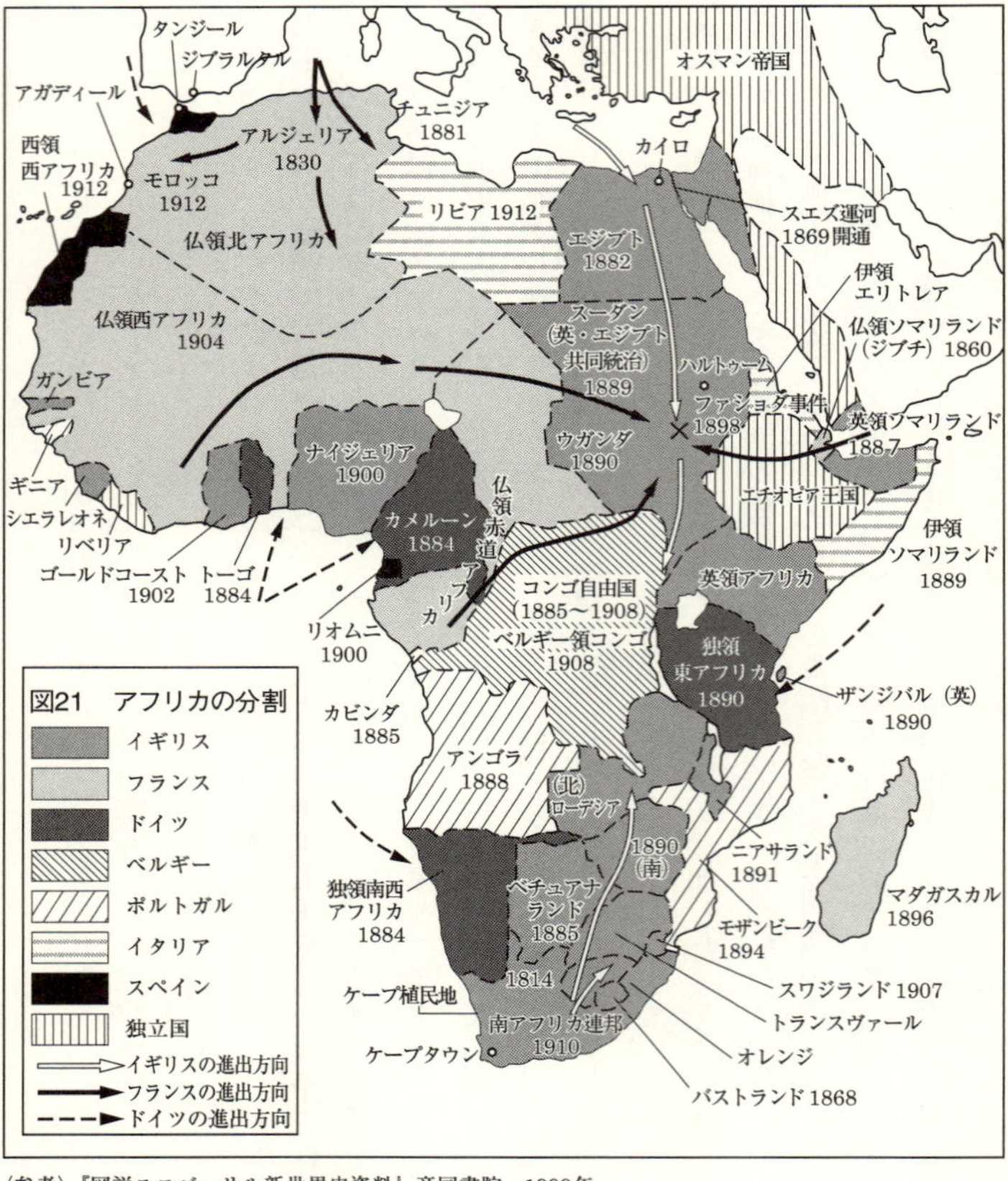

図21　アフリカの分割

〈参考〉『図説ユニバーサル新世界史資料』帝国書院、1999年

域のコンゴ盆地は、自由貿易地帯とされ、イギリスの利益に見合うように自由通商が保証された。

いまやヨーロッパの列強諸国は、グラッドストンの政治的な意図を超えて本格的にアフリカ分割に乗り出した。「将来の市場」の確保をめざして、帝国主義的行動がとられ、イギリスはその急先鋒となった（図21）。

南アフリカ戦争とイギリス帝国の危機

一八九五年の総選挙で大勝した保守党は、自由統一党と合体して、帝国の統一・連合を掲げて新たに統一党（Unionist Party）を名乗った。J・チェンバレンは、新たに植民地大臣に就任して、世紀転換期の南アフリカを舞台に帝国拡張政策を推進した。

イギリスの帝国政策にとって、南アフリカは二重の意味で重要性を持っていた。一つには、ヨーロッパ列強のアフリカ分割競争において、アフリカ大陸縦断政策を実現して喜望峰を経由する南回りのエンパイア・ルートの安全を確保するために、ケープ植民地は、軍事・外交上の戦略的な拠点の位置を占めていた。いま一つは、ダイヤモンド鉱山や金鉱山を開発するための有力な海外投資先、国際金本位制を支える金の供給源として、シティの金融利害にとり、オランダ系の白人ボーア人が支配するトランスヴァール共和国が重要であった。そこでは一八八六年に金鉱が発見されて以来、多くのイギリス系移民が流入し、八九年に設立されたイギリス南アフリカ会社を中心に、イギリスの経済的な影響力が拡大しつつあった。

鉱山富豪でケープ植民地の首相C・ローズは、イギリスからの自立をめざすトランスヴァール大統領クリューガーに対抗して、イギリス帝国の利益の確保に努めていた。植民地相チェンバレンも、イギリスの優位を前提にして、ケープ植民地を中心とするカナダ連邦型の自治領である英領南アフリカ連邦を創設することを考えていた。

ローズはチェンバレンと示し合わせて、一八九五年一二月末にクリューガー政権を倒すために、ジェイムソン侵入事件を引き起こした。これは、ローズが支配する特許会社である南アフリカ会社の行政官ジェイムソンが、会社所属の五〇〇余名の騎馬警官隊を指揮して、トランスヴァールに不法侵入し、ヨハネスブルクに向かおうとした事件である。クリューガーに不満を抱くイギリス系住民の蜂起を利用して現地政権を打倒しようとする、巧妙なクーデタ計画であったが、準備不足で失敗に終わった。

ローズは世論の批判を受けて辞任したが、彼の後任として南アフリカ高等弁務官に任命されたA・ミルナーは、チェンバレンと協力して、ボーア人側の反発をまねくような行動を取り、現地での緊張が高まった。イギリス側は、トランスヴァール国内に住む外国人の参政権や、内政に干渉する権利の確認を要求した。危機感を強めたクリューガーは、オレンジ自由国と軍事同盟を結んで、一八九九年一〇月、イギリスに宣戦し、南アフリカ戦争（第二次英＝ボーア戦争）が勃発した。

戦争自体は、イギリス側の予想に反して、初めはボーア側が優位に立ち、イギリスにとっては世紀中葉のクリミア戦争以来の、大規模な戦争に発展した。イギリスは、国民の熱狂的な愛国主義（ジンゴイズム）を背景にして、大量の予備役の兵士と志願兵を戦線に投入した。さらに、オーストラリア、ニュージーランド、カナダの白人自治領からの援軍の派遣を得て、軍事的な優位を確立した。動員された兵力は、援軍を含めて四五万余名に達した。しかし、ボーア側はゲリラ戦に転換して抵抗を続け、一九〇二年五月、ヴェレーニキングの講和によって、二年半に及んだ戦争はようやく終結した。ボーア人のトランスヴァール共和国とオレンジ自由国はイギリス帝国に併合されて、チェンバレンの帝国拡大の構想が実現に一歩近づいたように見えた。

南アフリカ戦争は、開戦直後から自由党の自由帝国主義派、社会主義団体のフェビアン協会や、下層の中流階級から上・中層の労働者階級にいたるまでの幅広い国民の支持を得て、国内では帝国の拡大を支持する「帝国意識」が高まった。

戦争中の一九〇〇年の秋におこなわれた「カーキ選挙」（総選挙）では、統一党が大勝利をあげる一方で、自由党は戦争に反対した親ボーア派と戦争支持派とに分裂した。また、白人自治領からは六万余名に及ぶ増援軍が得られ、軍事面でイギリス帝国の一体性が示された。国民を現在の政治体制に統合しながらイギリス帝国の一体性を強化しようとする政治的な意図は、短期的には予想以上に実現されたといえる。

しかし、戦争の長期化にともない、帝国拡張政策の矛盾が表面化して、イギリス帝国は一時的な「危機」に直面した。最大の矛盾は、国家の財政危機として表れた。南アフリカ戦争は、四五万余名の兵員と二億三〇〇〇万ポンドの戦費を必要としたため、巨額の財政赤字と赤字国債の発行によって、イギリスの国家財政は破綻の危機に直面した。軍事費の膨張によって社会政策費の支出が困難になり、労働者向けの老齢年金の支給は無期限に延期された。

だが、労働者階級からの兵役志願者の約三分の二が、兵役に耐えられないとして入隊を拒否された事実は、政府に衝撃を与えた。健康な身体の「帝国臣民」を増やすために、早急に社会政策を実施することが政府の課題になった。その社会政策費と、増大した軍事費をまかなうために、新たな財源の確保が必要となり、蔵相ヒックス＝ビーチは、一年かぎりの緊急措置として、一九〇二年に輸入穀物登録税を導入した。この是非をめぐる党内の論争が、のちに述べる関税改革論争と「チェンバレン・キャンペーン」を引き起こすことになった。

また、軍事面でもイギリス帝国の弱体性が明らかになった。ボーア人相手の植民地戦争に四五万余名もの大兵力を投入せざるをえなかったこと、戦争の初期に苦戦を強いられたこと、さらに戦争が当初の予想を超えて二年半と長期化したことで、イギリス本国陸軍の指揮・動員体制・装備（兵站《へいたん》）をめぐる欠陥が明らかになった。

さらに、ほぼ同じ時期の一九〇〇年に中国で発生した義和団事件の鎮圧は、列強の八か国連合軍、とりわけ日本陸軍の協力と、帝国拡張の先兵であったインド軍の派兵によってかろうじて対応することができた。

白人であるボーア人相手の南アフリカ戦争では、人種的な偏見とインド統治への悪影響から、インド軍の大規模な動員は不可能であった。世界的な規模で同時に起こる紛争に対処するには、イギリス帝国の軍事力の弱さが明らかになった。

チェンバレン・キャンペーン——自由貿易か保護貿易か？

第1節で強調したように、イギリスにおいては、一八四六年に穀物法が、四九年に航海法が撤廃されて以降は、自由貿易体制を堅持することが国是となった。製造業で当面のライバルであったドイツとアメリカ合衆国が、高率の保護関税を課して国内産業をイギリスとの国際競争から守るなかで、イギリスだけが、自由貿易、自由輸入の体制を一貫して維持してきた。

しかし、「大不況」期の前半の一八八〇年代頃から、イギリスでも保護貿易への転換を求める要求や運動が現れた。この貿易政策をめぐる対立が、南アフリカ戦争のもたらした国家の財政危機で再燃し、本国の国政と帝国経済政策を左右する大問題になった。チェンバレンは関税改革構想を提案し、自由貿易政策の変更を求める政治キャンペーンが展開された。帝国拡張政策のツケが、イギリス自由貿易帝国を根本から揺るがしたのである。

一九〇五年五月一五日、バーミンガムの演説で提案されたチェンバレンの構想の特徴は、関税改革をイギリス帝国の連合と結びつけた点にあった。それは、イギリス本国と白人自治領諸国をまとめた、帝国規模での自給体制である帝国関税同盟の実現をめざすものであった。彼の構想案には、「帝国特恵」(imperial preference) とイギリスの農業と産業を保護する、次のような提案が含まれていた。

(1)イギリスは、外国産の食糧に関税を課し(穀物は一クォーター当たり二シリング、乳製品は五%)、植民地産の食糧は関税を免除する。自治領側は互恵措置として、本国の工業製品を優遇する低率の特恵関税を導入する。

(2)外国との競争からイギリスの産業を保護するために、外国の工業製品に輸入関税(最高一〇%)を課す。ただし、原棉などの工業原料の自由輸入は継続する。

(3)外国産の食糧への課税の代償として、嗜好品を対象にした茶関税を引き下げ、砂糖・コーヒーの関税を撤廃する。

チェンバレンの関税改革構想は、欧米列強との領土拡張競争のなかで膨張したイギリスの帝国主義財政を、従来通りの自由貿易政策を維持しながら直接税（所得税）の増税によってまかなうのか、それとも、保護主義政策に転換して間接税（関税）でまかなうのか、という問いかけであった。また、彼の構想には、帝国最大の自治領であったカナダが、一八九七年の関税法で、イギリスに一歩先んじるかたちで一方的に本国製品への特恵を実施して、イギリス政府に自由貿易政策の転換を求めた事情も反映されていた。イギリス本国の貿易政策が、白人自治領の政策から影響を受けたのである。

チェンバレンと彼の支持者たちは、関税改革同盟を結成し、「関税改革で全員雇用を！」をスローガンとして、労働者階級を保護主義に転向させるために幅広い運動を展開した。その背後には、国際競争力を失い、ドイツやアメリカ合衆国との貿易摩擦を通じて国内市場の保護を主張したバーミンガムの金属工業の利害や、「農業大不況」で打撃を受けた一部の大地主（土地貴族）の利害があった（図22）。

これに対して、統一党内の自由貿易派と野党の自由党は、従来通りの自由貿易政策の継続を主張した。その背後には、自由貿易の恩恵を受けてきた綿工業やシティの金融利害が控えていた。

首相A・バルフォアは、外国の保護関税を引き下げさせるための報復手段として、帝国特

図22　J・チェンバレン（1836－1914）　バーミンガムの富裕な製造業者から、同市の市長を経て中央政界に進出した異色の政治家。帝国主義政策を進めるとともに、労働者のために社会政策を主張した

恵を支持する中間的な立場をとり、統一党内の両勢力の妥協をはかったがうまくゆかず、一九〇五年一二月に政権を投げ出して辞任した。

翌一九〇六年の初めに実施された総選挙では、関税改革問題が最大の争点となり、アイルランド自治問題をめぐって一八八六年に分裂して以来低迷していた自由党の地滑り的な勝利に終わった。その結果、第一次世界大戦までは、復活した自由党が政権を担当して帝国の拡張と社会福祉政策の両立をはかる政策を推進することになった。

関税改革をめぐるチェンバレン・キャンペーンが敗北した原因は、彼の改革構想がその有効性を疑問視された点にあった。地主はイギリス農業への保護効果を疑い、製造業利害は白人自治領側の特恵関税の効果を疑問視して、保護貿易の必要性をめぐって内部で分裂した。また労働者階級は、雇用の保証よりも「パンへの課税」を嫌って、食糧の自由な輸入体制の継続を支持した。「大不況」の時期に第一次産品の価格が大幅に下落し、イギリスの労働者階級には失業の不安はあったものの、実質的な生活水準が向上する恩恵を受けたのである。この点に、グローバルに展開する世界経済と帝国の存在を前提にした、庶民生活の「大衆消費社会」化現象の萌芽が見られた。

しかし、貿易政策をめぐる論争の行方を左右した最大の要因は、すでに述べた多角的決済機構の成立とシティの金融資本、金融・サーヴィス利害の優位であった。シティのサーヴィス経済の繁栄が自由貿易体制に支えられていたことは、繰り返すまでもない。

海外投資の急増に支えられて、景気は回復に向かい、世界経済全体の膨張につられて、イギリス経済は一九〇五－〇七年と一九一〇－一三年は好況のうちに推移した。チェンバレンは、帝国特恵関税（保護関税）の導入による自由貿易政策の転換、カナダを中心とする自治領との連携・協力関係の強化を意図したが、国際収支の黒字を支えた多角的決済機構には、イギリス本国が開放的な自由輸入体制を維持すること（自由貿易の逆説）とインド利害の尊重が不可欠であった。したがって、世界経済におけるイギリスの位置、帝国の経済構造が、本国の政策論争の行方にも大きな影響を与えたのである。

4　ヘゲモニー国家イギリスと近代日本

ヘゲモニー国家と国際公共財

ロンドンの東の郊外、いまや第二の金融センターになりつつあるドックランドとテムズ川をはさんだ対岸に、王立天文台と国立海洋博物館で有名なグリニッジが位置している。この王立天文台上を通過する子午線を〇度とする世界標準時（Greenwich Mean Time: GMT）は、一八八四年にアメリカのワシントンで開催された国際子午線会議で決定された。八四年の時点で、世界の海図の約三分の二が、グリニッジ子午線を基準点として作成されていたことが決め手となり、世界の時間表示に関しては、一九七二年に原子時計時間（ITA）で維持される協定世界時（UTC）に取って代わられるまでは、イギリスのグリニッジ時間が世界標準（グローバル・スタンダード）になったのである。

この事例が示すように、一九世紀のイギリスの世界的な影響力は、以上述べてきたような公式・非公式の両帝国に限定されるものではない。当時のイギリスは、帝国を超えて地球的規模での圧倒的な経済力と軍事力、文化的な影響力を行使したヘゲモニー国家であった。

ヘゲモニー国家は、C・キンドルバーガーやP・オブライエンが指摘するように、国際関係の基本的枠組みを決定する実力を備え、経済・安全保障（政治外交）・文化の各側面で圧倒的影響力を行使するとともに、国際政治経済秩序を維持するために世界諸地域に多様な「国際公共財」（international public goods）を提供してきた。国際公共財とは、コストを支払わない人を排除しない「排除不可能性」と、ただ乗りされても他の人が影響を受けない「非排他性」を合わせ持った財である。

一九世紀のイギリスの場合、すでに述べた自由貿易体制に加えて、金との兌換《だかん》が保証されたポンド（スターリング）を基軸通貨とする国際金本位制、鉄道・蒸気船のネットワークや海底電信網による世界的規模の運輸通信網、国際郵便制度、グリニッジ時間を基準とする世界標準時、国際取引法などの国際法体系、さらに、強力な海軍力に支えられた安全保障体制、世界言語としての英語などを、その国際公共財としてあげることができる。これら国際公共財は、誰もが利用可能で、経済面での相互依存体制、一九世紀におけるグローバル化を推し進める主要な手段として機能し、国際秩序における「ゲームのルール」の形成に直結していた。

通常、ヘゲモニー国家は、近世までの世界帝国（アジアの中華帝国やムガール帝国、オスマン帝国など）と異なり、地球的規模での影響力の行使にともなうコストを削減するために、統治のための官僚組織や軍事力を必要とする公式帝国（植民地）を持たないのが理想的な形

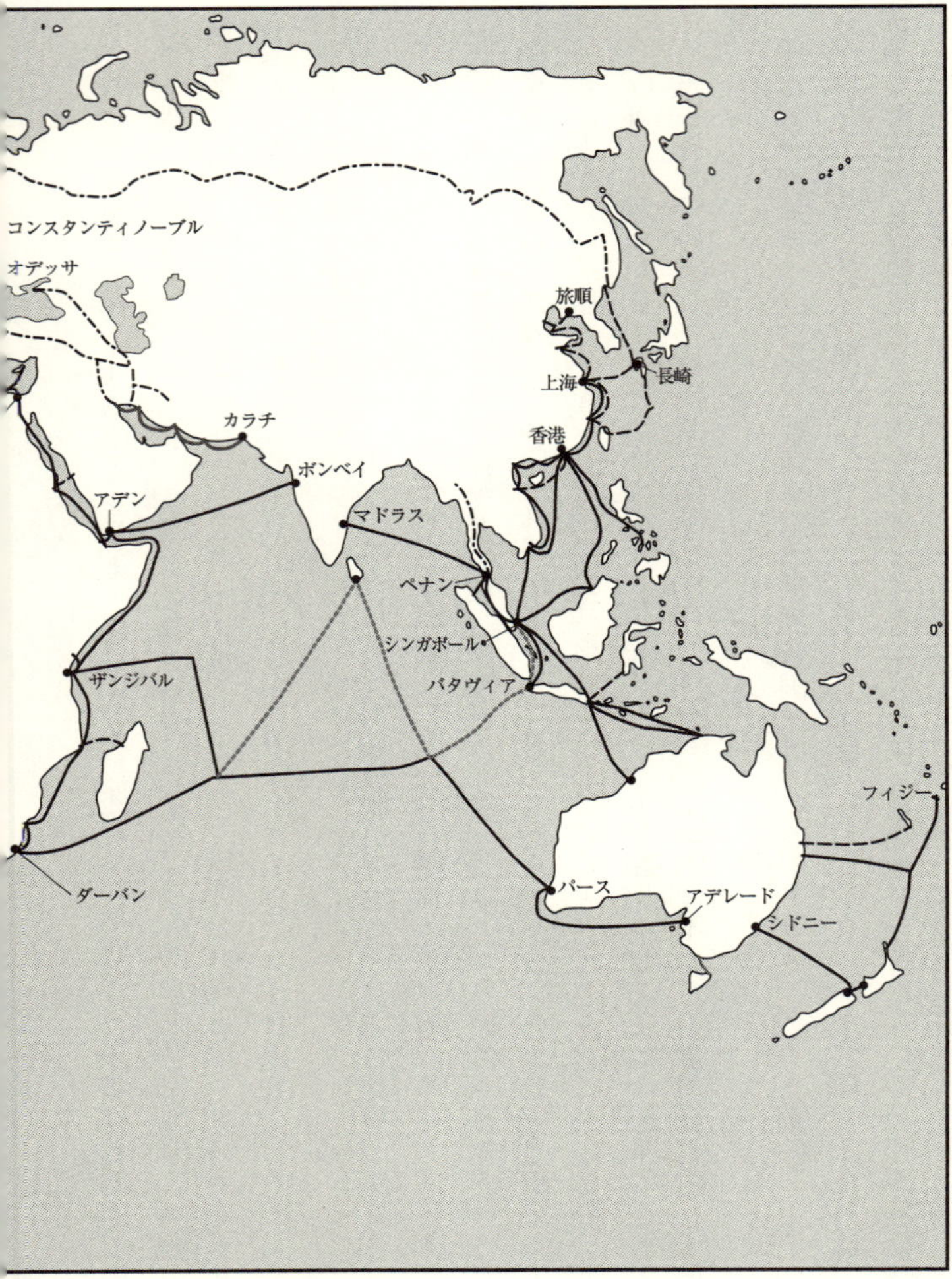
コンスタンティノープル
オデッサ
旅順
上海
長崎
香港
カラチ
ボンベイ
アデン
マドラス
ペナン
シンガポール
バタヴィア
ザンジバル
フィジー
ダーバン
パース
アデレード
シドニー

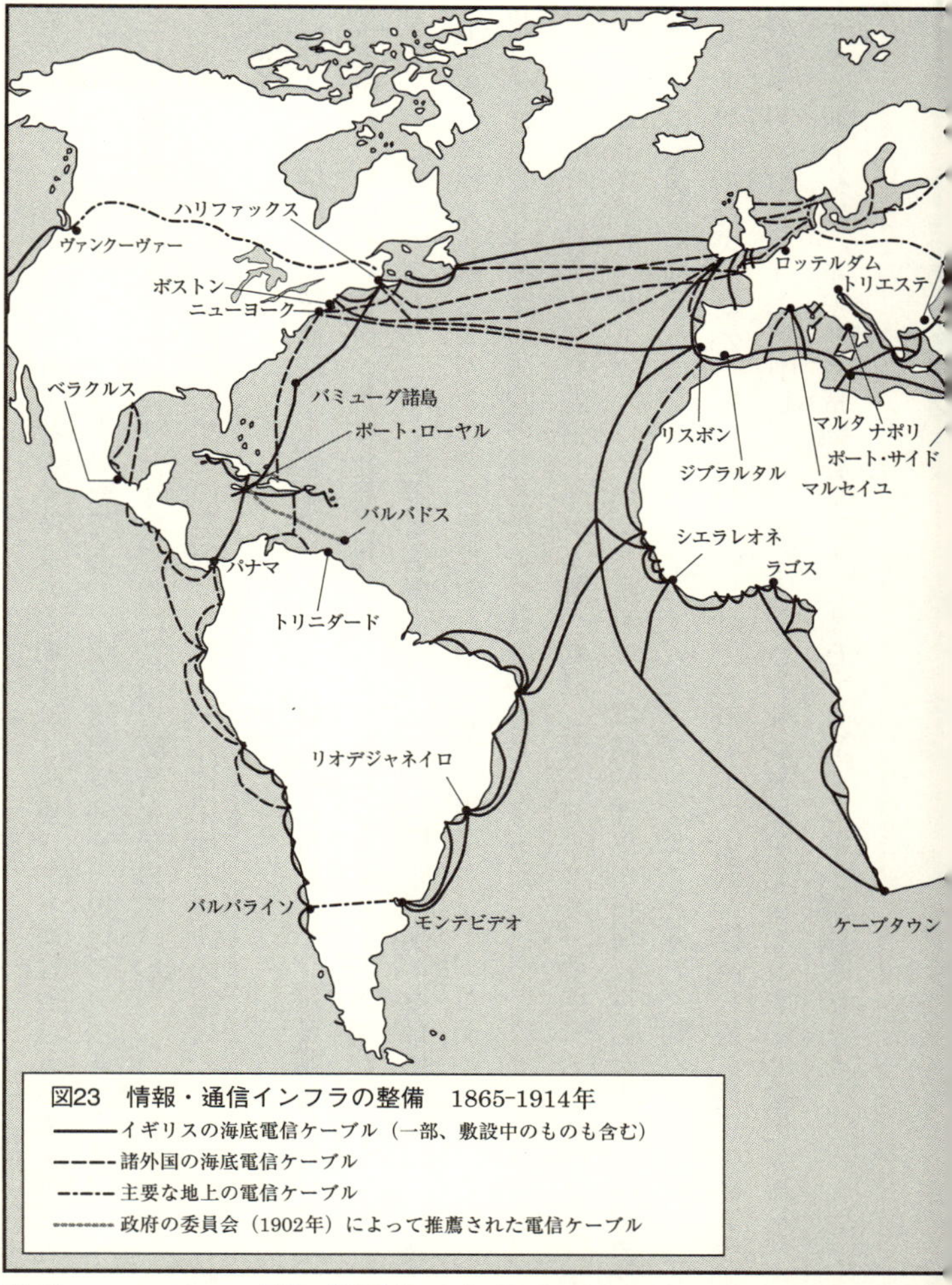

図23　情報・通信インフラの整備　1865-1914年

——イギリスの海底電信ケーブル（一部、敷設中のものも含む）
----諸外国の海底電信ケーブル
-·-·-主要な地上の電信ケーブル
·······政府の委員会（1902年）によって推薦された電信ケーブル

〈参考〉A・N・ポーター編著、横井勝彦・山本正訳『大英帝国歴史地図』東洋書林、1996年

態であった。しかし、一九世紀のイギリスの場合は、英領インドに代表される広大な公式帝国を各地に保有したヘゲモニー国家であった点が特異であり、現代のアメリカ合衆国のヘゲモニー（パクス・アメリカーナ）とは決定的に異なる構造を有していた。

イギリスが提供した国際公共財の実例として、一九世紀後半の海底電信ケーブルによる情報革命を考えてみよう。

一八六六年に大西洋横断ケーブルが、七〇年にはインド海底ケーブルが開通した。英印間は五時間で結ばれ、電信の量は急激に増大し、九五年には年間一〇〇万通に達した。七一年、香港・上海経由で日本の長崎も国際電信網に接続した。国際電信網の整備にともない、香港上海銀行に代表されるイギリス系植民地銀行の支店が、東南アジア、英領インド、日本にも開設されて、アジア諸地域間の貿易決済や送金が容易になった。

一九〇〇年に世界の海底電信ケーブル延べ約三〇万キロのうち、約四分の三がイギリスの会社によって所有されていた。イギリス政府は、戦略的理由から海底電信ケーブルの世界的規模での整備を後押しして、一九〇二年には、オーストラリアとカナダ間のラインが結ばれて、イギリス公式帝国ケーブル網が完成した。このケーブル網を経由して、最新の経済情報がロンドンのシティに集中し、その国際貿易と金融の中心地としての地位は強化された。ロイター通信社は、イギリス帝国各地にとどまらず世界中の経済情報を伝えた。

二〇世紀に入り無線通信技術が発達すると、帝国各地を結ぶ通信基地が香港・シンガポールなどに建設された。こうした情報・通信インフラの整備は、ヘゲモニー国家であったイギリスの負担で推進されたが、完成した通信網は、一定の費用を支払えば誰でも使用可能な国際公共財になったのである（図23）。

たとえば、東南アジア在住の中国系商人（華僑・華人）が本国に送金する際にも、日本の商人が海外市場の情報を得るためにも、このネットワークは利用可能であった。

香港とシンガポールは、苦力《クーリー》の東南アジア諸地域への移動の拠点・中継地として機能していた。一八九一－一九三八年の間に、約一六〇〇万人のインド人労働者と約一四〇〇万人の華僑が、東南アジアに流入したと推定されている。その八割程度は比較的短期間の現地滞在ののちに帰国したが、英領海峡植民地（現マレーシア）や蘭領東インド（現インドネシア）の天然ゴムのプランテーションや錫鉱山で働いた中国系労働者は、現地に展開した中国系の金融機関・新局を利用して労賃の一部を故郷に送金した。その新局も、アジア各地に支店を開設した香港上海銀行やマーカンタイル銀行などの、イギリス系の植民地銀行（イースタンバンク）を利用することで円滑な海外送金が可能になったのである。

日本郵船のボンベイ航路――アジア間貿易の形成

日清戦争直前の一八九三年、横浜に本拠を置いた海運会社である日本郵船（NYK）は、神戸と英領インドのボンベイを結ぶ航路を、日本で最初の国際定期航路として開設した。

このボンベイ航路の最大の積荷は、インド内陸部で栽培され、イギリス資本で建設された鉄道を通じて港市ボンベイに運ばれたインド棉花（原棉）であった。それは、当時、大阪を中心に発展しつつあった近代紡績業の原料として輸入された。大阪紡績、鐘淵《かねがふち》紡績（鐘紡）、摂津紡績など、大阪に本拠を置いた主要な紡績会社は、生産コストを抑えるために、アメリカ棉よりも安価なインド棉を大量に使用し、棉花輸入のために、内外綿（一八八七年設立）や日本綿花（一八九二年設立、のちのニチメン）の大商社も設立された。

当初、インド棉を輸送したボンベイ航路は、イギリスのP＆O汽船会社など外国の海運会社三社が独占し、輸送費用も高くついた。その独占状態（カルテル）に対抗するために、日本郵船は、政府の補助金と紡績業界（大日本紡績連合会。紡連）の支援を得て、現地のインド系棉花商人・タタ商会と共同で、香港、シンガポール、コロンボを経由する神戸―ボンベイ航路を開設したのである。

インド側にとっても、日本航路の開設と日本棉花商とのインド棉の直接取引は、イギリスの植民地支配に批判的なナショナリズムが形成されてくるなかで、実利をともなうものであった。というのも、英領インドの内陸部で生産されたインド棉花は、当初予想されていた本国のマンチェスター向けではなく、輸出の六割近くが日本の大阪に向けて積み出されていたからである。インドにおける植民地鉄道建設の受益者の一つが大阪の近代綿紡績業であった点は、注目に値する（図24）。

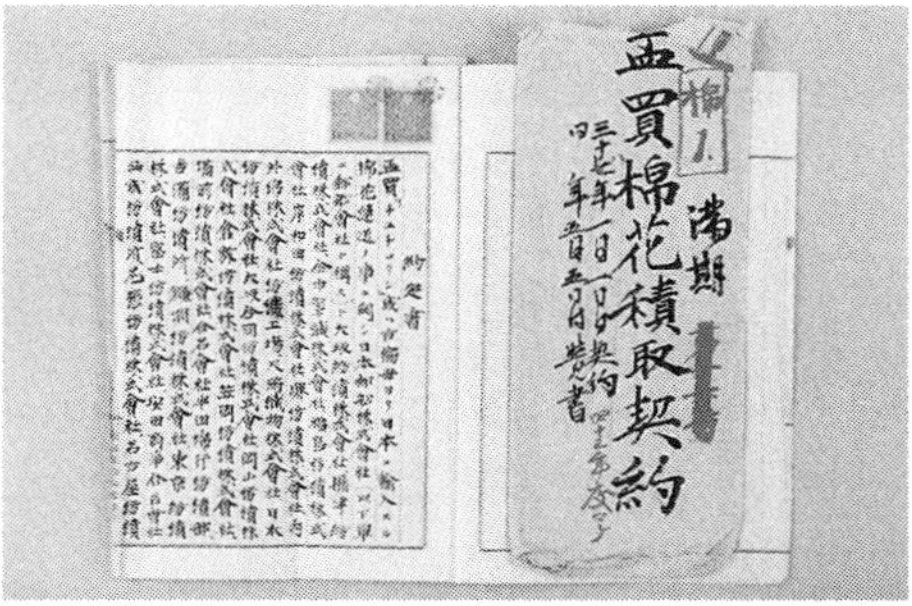

図24　日本郵船ボンベイ航路の棉花契約書（1905年）
日本郵船はボンベイ航路を安定的に運営するために、当時最大の実業団体であった大日本紡績連合会（本拠・大阪）とインド棉花の積取契約を締結した（『日本郵船歴史博物館 常設展示解説書』2005年より）

ボンベイ航路で運ばれたのは、インド棉花だけではなかった。帰り荷として神戸港から、大阪や神戸周辺で製造されたマッチ、石鹼、洋傘、ランプなど日用の生活雑貨品が、香港、東南アジアや英領インドに向けて大量に輸出された。それらは、現地社会の伝統的なニーズにうまく合うようにつくられたアジア独自の近代的商品であり、欧米産の同じような製品と比べると非常に安価で、価格面で競争力があった。

それらのアジア型商品の輸出入を手がけたのが、東南アジアを中心に独自の通商ネットワークを張りめぐらしていた、中国南部出身の中国人商人

（華僑）やインド人商人（印僑）らの現地アジア商人であった。のちに、大阪の商人（伊藤忠）や伊藤萬〔のちのイトマン〕などの商社）もこの取引に参入して、大きな利益をあげた。

こうして、アジアでは、第一次産品輸出（原棉）と工業製品輸入（消費財としてのイギリス綿製品）という対欧米貿易の拡大と並行して、英領インド（南アジア）、海峡植民地や蘭領東インドを含む東南アジア諸地域、中国（香港を含む）および日本（東アジア）をつなぐ地域間貿易が発展した。杉原薫が提唱した「アジア間貿易」(intra-Asian trade）がそれである（『アジア間貿易の形成と構造』ミネルヴァ書房、一九九六年）。

すでに第2節で述べたように、一八八三年時点のアジア間貿易の構造は比較的単純であった。英領インドから中国向けのアヘン輸出が主体であり、綿糸は対中国輸出額の一割弱の一二二万ポンドにすぎなかった。もともと中印間のアヘン貿易は、一九世紀前半に英領インド－中国－イギリス本国を結ぶアジアの三角貿易として登場した。一九世紀後半になるとアヘン貿易は、ユダヤ系の貿易商サスーンや華僑、印僑などのアジア系商人にになわれて発展し、東南アジアの英領海峡植民地やシンガポールを経由して、英領インドと中国を結ぶ新しい貿易通商網が成立した。

だが、一九世紀末の一八九八年の段階になると、英領インドの対中国輸出の中身は、綿糸四一七万ポンドに対してアヘン三五七万ポンドと、アヘンと綿糸の立場が逆転した。

世紀転換期以降のアジア間貿易の発展は、英領インドの棉花生産―日本とインドの近代綿糸紡績業―中国の手織《ており》綿布生産―太糸《ふといと》・粗製厚地布の消費という連鎖を中心に、その半分近くが綿業にかかわる「綿業基軸体制」によって支えられていた。すなわち、紡がれた綿糸は中国へ輸出され、中国では輸入した綿糸が手織機で織布《しょくふ》に仕上げられて、広大な国内市場で販売された。その連鎖のなかでも、とくに、インドの棉花と機械紡績製綿糸の東アジア向け輸出が重要な役割を果たした。

イギリスにより押しつけられた自由貿易体制のもとで、一九一三年のアジア間貿易額は、対欧米貿易総額の約八割、約一億六七三〇万ポンドであったが、その成長率は、対欧米貿易を上まわり、一八八三―一九一三年の三〇年間に、年平均五・五%に達したのである。

アジア間貿易の発展とインド綿業

ここであらためて、一九世紀後半のインド綿業の発展の世界史的意義を確認しておきたい。一般に、植民地支配のもとでは、非ヨーロッパ地域での工業化は抑圧される、と考えられてきた。そうした見解の典型が、K・マルクスのインド論であり、彼は、一八世紀後半―一九世紀初頭の東インド会社支配下のインド（ベンガル地方）では、それまで圧倒的な国際競争力を有したインド現地の綿織物業は、植民地化を進めるイギリス当局の強圧的政策により輸出市場を失い、壊滅状態に追い込まれていった、その代わりに、マンチェスター産のイギリス製綿糸・綿布が大量に輸出されてインド市場を席巻し、綿業をめぐる英印関係は完全に逆転した、と主張した。

こうしたマルクスのインド論は、現地の事情を知らない、ヨーロッパ中心的な見方であり、歴史的現実の一部をとらえたにすぎない。英領インドでは、植民地支配下にありながら、近代的な機械化された綿紡績業が現地人資本の手で発展し、同時に在来産業としての伝統的な綿業も存続した。

ボンベイにおいて、インド系商人により最初の機械紡績工場が設立されたのは、一八五四年のパールシー商人にさかのぼる。しかし、インド綿紡績業の勃興のきっかけは、一八六〇年代前半のアメリカ南北戦争による「棉花飢饉」(アメリカ南部諸州からの棉花供給途絶)と、その代替供給源としてのインドの棉花ブームであった。

棉花取引で多大な利潤を得た現地の貿易商が、機械紡績業への投資をおこなうようになった。ボンベイを中心としたインド紡績業は、一八七〇年代までは、番手の低い太糸をインド国内の手織織布職人に供給するという内需主導型で発展した。その規模は、一八八〇年には五八工場で雇用数四万人、一九一四年には二七一工場で雇用数二六万人に達した。

一八八〇年代になると、東アジアの中国、日本市場への輸出を開始した。対中国向けの綿

図25　英・印・日の対中国綿糸輸出（1877-1913年）

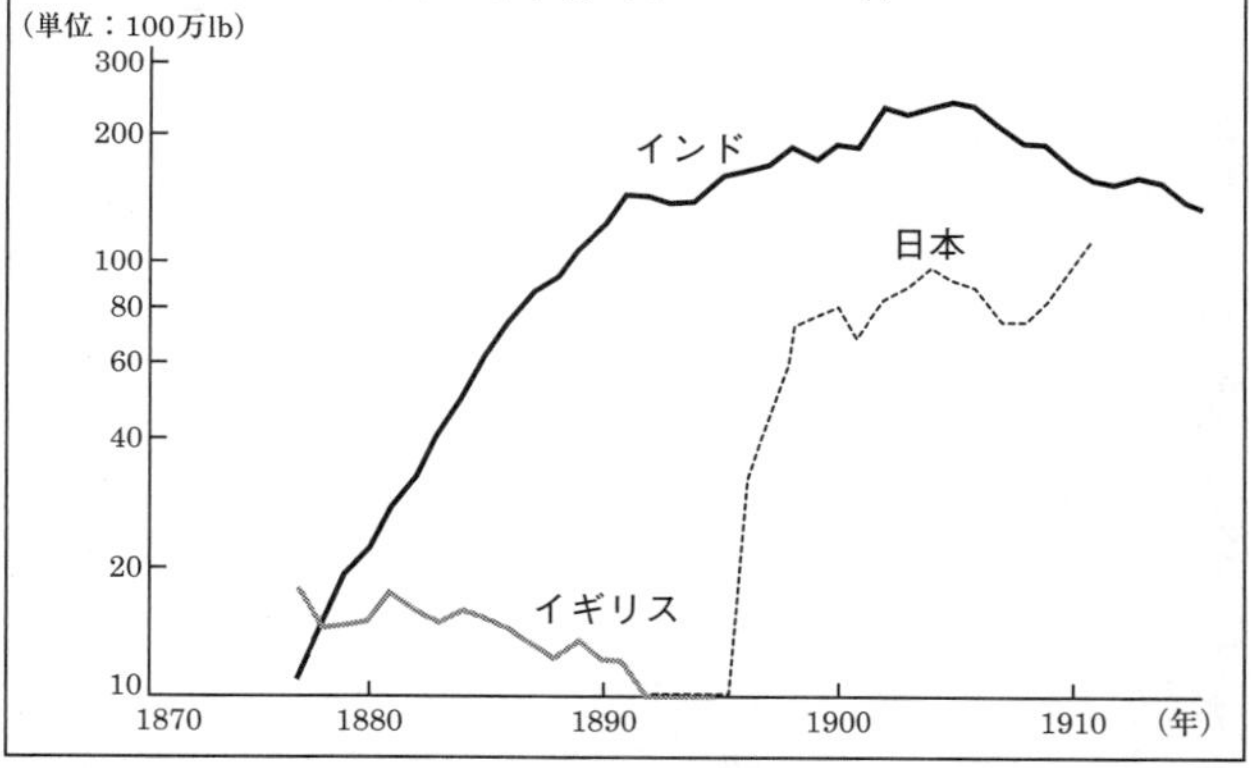

〈注〉3か年移動平均値。1877年のみ単年値。
〈出典〉小池賢治『経営代理制度論』アジア経済研究所、1979年

糸輸出では、七〇年代末に早くもインド産品がイギリス本国産の綿糸を抜き去り、二〇世紀初頭には、ボンベイの綿糸輸出量の約九割、生産量の六割近くが中国市場に向けられた。世界で最初の産業革命を支えたはずのイギリスのマンチェスター産の綿糸は、アジア内部の競争に耐えられず、いち早く脱落した。この中国における英印綿糸輸出の地位の逆転現象には、第3節で述べた銀価格の低落、インド・ルピー通貨の相対的価値の低下を通じた通貨切り下げ効果が、大きく寄与していた（図25）。

第一次世界大戦までの中国では、手織綿布の生産に使用される機械紡績糸は、インド綿糸が中心であった。しかし、世紀転換期になると、新たにアジア市場に参入した日本産綿

糸との競合が激しくなった。のちになって、上海を中心とする中国の近代紡績業が発展してくると、中国の綿糸市場をめぐる英領インド・日本・中国現地の「アジア間競争」(intra-Asian competition) はさらに激しくなった。

こうしたインドと日本紡績業の発展にともない、インドの原棉は、世紀転換期には生産高の三七%がインド国内消費、二三%は日本輸出向けという具合に、アジア内での消費が対欧米向け輸出を上まわるようになった。一九一三年には、インド国内消費は四一%、対日本輸出は二八%と、その比率はさらに上昇したのである。

インド綿布生産の場合は、綿糸に比べてその輸出量は多くはなかったが、海外での需要は増加する傾向にあった。その輸出先は、広義の「環インド洋世界」、具体的には、英領海峡植民地、セイロン、ペルシャ湾岸、紅海沿岸、および東アフリカ諸地域であった。こうして中国市場と環インド洋世界は、綿業を中心に限定的な工業化が進展しつつあった英領インド産の製造品の輸出市場として、その重要性が高まった。

以上をまとめると、英領インドの場合、アジア間貿易は一八八三年に輸出総額の二六%、一七〇二万ポンド(対欧米輸出は六八%、四四四五万ポンド)、一八九八年に三一%、二〇九三万ポンド(対欧米輸出は六三%、四二七一万ポンド)、一九一三年には二九%、四一八五万ポンド(対欧米輸出は六三%、九六〇一万ポンド)を占めた。一九世紀末において、インドの輸出貿易の約三割が、アジア諸地域に向かっていたのである。

このアジア間貿易の発展は、イギリスが推進した自由貿易帝国主義と無縁ではなかった。アジア内部の国際分業体制であるアジア間貿易にとって、たとえ不平等条約に代表されるように自由貿易が押しつけられたものであったとしても、イギリスが世界的規模で構築した自由貿易体制の存在は、その形成にとって不可欠の要素になっていた。

東南アジアにおいて、大阪・神戸から輸入された生活雑貨品は、農民や移民労働者の生活を支えるために不可欠であった。たとえば、海峡植民地（英領マラヤ）では、一九世紀末から、工業原料として欧米諸国向けの天然ゴムや錫の輸出が増大した。その過程で、現地のプランテーションや鉱山で生産に従事した中国や英領インドからの移民労働者たちは、一定の収入を得て、彼らが消費する生活雑貨品の需要も増えた。食糧としてのビルマやタイからの米、ジャワからの砂糖だけでなく、大阪・神戸からの生活雑貨品の輸入も同時に増えるという密接な経済的つながりが形成された。アジア間貿易の発展は、欧米諸国向けの第一次産品輸出を含めた、世紀転換期における世界経済全体の成長と切り離すことはできないのである。

中国の外債発行と香港上海銀行

一九–二〇世紀転換期の東アジアにおける国際秩序は、一八九四–九五年の日清戦争による、日本の植民地帝国の形成の始まりによって大きく変動していく。日清戦争は、中国に対する欧米列強による勢力圏獲得競争の引き金となった。それはイギリスにとっても、非公式な金融・サーヴィス部門を通じて影響力を拡張する好機の到来を意味した。

清朝は従来から外債の募集には消極的であり、一八七四―九五年までの外債発行額は、わずか一二〇〇万ポンドにすぎなかった。しかし、日清戦争の敗北による賠償金二億テール(約三八〇〇万ポンド)の支払い財源は、外債発行に頼るほかなかった。

そこでパートナーとして登場したのが、シティ金融界と緊密な関係を持つ香港上海銀行の副支配人C・アディスである。アディスは、北京の中央政府の政治的権威が維持され、中国の領土が保全される一方で、イギリスが主導する「責任ある借款」計画を通じて、中国への影響力を拡大することをめざした。中国の賠償金借款引き受けをめぐるドイツ、ロシアとの国際的競争が展開されるなかで、イギリス外務省の協力を得た香港上海銀行は、中国政府に一八九六―一九〇〇年の五年間に、三二〇〇万ポンドもの巨額の資金を提供した。

世紀転換期以降も、イギリスからの借款はゆるやかに増え続け、一九〇二―一四年の間に倍増した。外務省と大蔵省の圧力で、イングランド銀行が中国の債券を購入したこともあって、中国の外債の売れ行きはよく、北京の国際金融市場での信用力も良好であった。それにつれて、香港上海銀行の収益も急増した。

中国の借款引き受けをめぐる競争は、鉄道と鉱山利権をめぐる争奪戦と並行して展開された。その争奪戦には、中国債券の安全性を保証するために、追加財源を確保する必要性が反映されていた。というのも、イギリスは世紀転換期までに、中国海関の関税収入を発行済みの外債の担保として確保しており、大規模な借款の抵当として、新たな収入源を獲得する必要があったからである。

イギリスは、長江流域で広大な勢力圏を確保する一方で、他の地域でも門戸開放の原則を掲げて諸利権を獲得し、競合する列強が排他的勢力圏を形成して中国の領土を分割することを、ある程度阻止した。その過程で、ロンドンの金融界から直接の支援を受けて、新たな投資集団や銀行団が組織された。一八九八年に設立された中英公司では、香港上海銀行とジャーディン・マセソン商会という二大在外企業が協力し、シティを代表するマーチャント・バンカーであるロスチャイルド商会とベアリング商会も関与した。北京シンジケート（一八九七年）や揚子江会社（一九〇一年）も同様な構成をとった。イギリス外務省は、これら民間企業が諸利権を獲得するのを精力的に支援したのである。

非公式帝国からジュニア・パートナーへ——日英同盟

世紀転換期の日本は、ヘゲモニー国家イギリスが提供するさまざまな経済的インフラや資本（広義の国際公共財）、技術、情報を巧みに活用しながら、富国強兵・殖産興業政策を展開して国力の拡充と自国の近代化を推進した。そうしたなかで、一九世紀末になると日英関係も変化し、従来の非公式帝国的な関係にとらわれない緊密な関係をつくっていった。

まず、国際金融の面で、日本は一八九七年に円通貨の銀本位をやめて金本位制を導入した。その転換にあたり、日本政府は中国から受け取った日清戦争の賠償金二億テール（約三八〇〇万ポンド、約三億一〇〇〇万円）を、ロンドンのイングランド銀行に預託して準備金とした。イングランド銀行にとっても、日本の金は貴重な金準備（金塊）となった。

次いで、政治外交面では、一九〇二年に日英同盟が締結された。日本政府側の意図として、東アジアにおけるロシア帝国との外交・軍事面での対立、のちの日露戦争に備えた同盟国の確保が重要であり、ユーラシア大陸規模でロシアと「グレート・ゲーム」を展開してきたイギリスと仮想敵国が一致した。

他方、世紀転換期のイギリスは、すでに述べたように、南アフリカ戦争（第二次英＝ボーア戦争）と中国の義和団事件に同時に直面し、軍事・外交面で孤立感を味わっていた。戦争中の国際世論はボーア側に好意的であり、とくに戦争の後半でイギリス軍が展開した対ゲリラ戦（農場の破壊や強制収容所の建設）は非難の的となり、イギリスは外交的に孤立して、かろうじてアメリカ合衆国の消極的な支持を得るにとどまった。この苦境のなかでイギリス政府はパクス・ブリタニカのシンボルであった「光栄ある孤立」(splendid isolation) の外交政策の見直しを迫られ、新たに軍事・外交面で同盟国を求める政策に転換した。

まずイギリス政府は、イギリスに好意的な世論を背景にして一九〇一年、アメリカ合衆国とヘイ・ポーンスフット条約を結んだ。イギリスは、英米間で争いのあったベネズエラ国境紛争とパナマ地峡の運河建設問題で譲歩し、カリブ海地域での支配権を合衆国に譲ることで英米の協調体制を築いた。

次いで翌一九〇二年には、統一党内閣の外相ランズダウンが日英同盟を結び、「光栄ある孤立」を正式に放棄した。この同盟は、義和団事件以来の友好的な関係を強化して、東アジア地域におけるロシアの領土拡張政策を封じ込めようとする点で、利害が一致した日本との協力をめざすものであった。この日英同盟の締結は、ヘゲモニー国家イギリスにとっても、従来の「光栄ある孤立」政策を根本的に見直して列強との同盟政策に転換するうえで、重要な決断であった。

これによりイギリス政府は、東アジア海域に派遣されていた軍艦を本国周辺に呼び戻して、ドイツとの軍拡競争に積極的に対応することが可能になった。一八八二年のエジプト占領、一八九八年のナイル川上流域でのファショダ事件など、アフリカ分割をめぐって対立したフランスとの関係は、ドイツの海外膨張の脅威を背景にして急速に好転し、一九〇四年英仏協商が結ばれた。両国は、エジプトでのイギリス、モロッコでのフランス双方の優越的な地位を相互に承認して利害の調整をおこなった。

以上のように、イギリス帝国の外交戦略の大転換をもたらすきっかけになったのが、日英同盟の締結であった。したがって、一九〇二年から第一次世界大戦後の一九二二年まで二度にわたって更新された日英同盟下の日本を、イギリスの非公式帝国と位置づけるのは無理がある。世紀転換期の日本は、ヘゲモニー国家イギリスのジュニア・パートナーとして、イギリスからさまざまなかたちの援助・支援を受けて、近代国家の構築と日本帝国の形成に邁進《まいしん》していった。その緊密な関係が典型的に現れたのが、一九〇四―〇五年の日露戦争である。

日露戦争とロンドン・シティ――日本の外債発行

まず、軍事力の面では、一九〇五年の日本海海戦でロシアのバルティック艦隊を壊滅させた日本の連合艦隊の主力艦は、旗艦「三笠」をはじめとして、すべて世紀転換期にイギリスで建造された当時の最新鋭の戦艦・巡洋艦であった。とくに、イングランド北東部の工業都市ニューカースルでは、一八八〇年代よりアームストロング社の造船所で、日本帝国海軍のために多くの戦艦・巡洋艦が建造され輸出された。アームストロング社の軍艦は純粋な民間取引として世界中に輸出されたが、とくに日本は最大の海外輸出市場であり、一九一三年までに一三隻、約一〇万トンの艦船が輸出された。海軍拡張を急ぐ日本、最新鋭の建艦技術を有して海外市場に活路を求めるアームストロング社、日英同盟にいたる親日的なイギリスの外交政策、これらが重なり合って初めて、日本のイギリス製連合艦隊はロシア海軍と対峙することができたのである。日本海軍の機構や将兵の訓練制度（江田島の海軍兵学校）も、王立海軍に倣ってイギリスから導入された。

軍事力の整備と同時に、日本政府にとって、戦費の調達という財政問題が喫緊の課題になった。日本は日清戦争後の一八九七年に金本位制を導入していたが、その後の急速な工業化の過程で、対外貿易は恒常的な輸入超過におちいり、ロシアとの開戦が予想される際に、戦争を継続するに十分な財政的基盤と資金が不足する事態に直面した。軍事力の増強とともに、戦費を海外で調達することが不可欠となったのである。

具体的な手だてとしては、当時世界最大の国際金融市場であったロンドン・シティの金融市場で日本政府の外債を発行して戦費を調達するしかなかった。ロシアも同様に、ロンドン金融市場での資金調達を試みており、日露両国は、陸海軍の戦闘だけでなく、国際金融市場を舞台にした金融戦を展開することになった。

当初、日本政府は外債発行に対するイギリス政府の保証を求めて、駐英公使林《はやし》董《ただす》を外相ランズダウンと接触させたが、中立性の維持を理由に断られた。

図26　ロンドンで発行された日本政府の外債（1905年）　日露戦争の戦費調達のためにロンドンで発行された日本政府の外債。4％の利付で、マーチャント・バンカーのロスチャイルド商会が仲介した（ロスチャイルド・アーカイヴ蔵）

事態を打開するために、一九〇四年二月、日本銀行副総裁の高橋是清《たかはしこれきよ》が、シティの金融界に日本の外債発行を引き受けてもらう交渉のため、政府特別代表としてロンドンに派遣された。その際にも日英同盟が威力を発揮した。高橋はロンドン・シティの民間の金融資本家に接触し、とりわけ、アジア諸国向けの国際金融に特化していたA・カッセルの紹介で、ユダヤ系のベアリング商会などの助力を得て、五月に一〇〇〇万ポンドの外債をロンドンとニューヨークの金融市場で発行することに成功したのである。

次いで日本政府は、マーチャント・バンカーの国際的なネットワークを利用して、四度にわたる外債の発行に成功した。その総額は、一億七〇〇〇万ポンドに達した。そのうちロンドン金融市場は、約四割の四二五〇万ポンドを占めた（図26）。

逆にロシアは、ユダヤ系住民に対する迫害（ポグロム）や国内での革命騒動（第一次ロシア革命）が障害となり、シティで外債の引き受けを拒否されて戦費を調達できなかった。

この金融戦を勝ち抜くうえで、日英同盟を背景としたイギリスの友好的な対日感情が大いに役立った。日本はイギリスにとって重要な同盟国と位置づけられたが、金融面では依然としてロンドン・シティに従属し、その間接的な支援を得ることによって、戦時経済の運営や、日露戦争以降に加速化した日本経済の近代化、工業発展が可能になったのである。

この日本の外債発行は、有利な海外投資先を必要としたロンドン・シティの金融利害にとっても収益を増やす絶好の機会になった。シティは、新興工業国であった日本の旺盛な資金需要を取り込むことにより、国際金融市場の優位性を強化することができた。一九〇〇―一三年において、外債発行を通じた日本の大規模な資本輸入は、ロンドンにおける外債発行総額の約二割を占めた。イギリスの多角的決済機構を維持するうえでも、この緊密な日英間の金融関係は重要であった。世紀転換期の日英間では、以上述べてきたように多様で重層的な相互補完関係が形成されていたのである。

この時期に、日本の産業は、中国市場への綿糸輸出を中心とする消費財生産が大幅に伸びた。最大の綿糸市場であった中国では、英領インドのボンベイ産と大阪産綿糸が激しい輸出競争（アジア間競争）を展開していた。外債発行は、民間部門での資金需要への圧迫を緩和して、間接的に消費財部門の発展を可能にした。日本紡績業の発展は、アジア諸国への綿製品輸出という点ではイギリスと競合したが、紡績機械や金属製品などの資本財の対日輸出、さらには最新鋭の軍艦・兵器の日本向け輸出にとっては、日本の工業化と経済発展は歓迎すべき現象であった。

ヘゲモニー国家であったイギリスの経済構造にとって、本国の金融・サーヴィス利害、資本財産業と日本の消費財産業の発展は相互補完的であり、公式帝国インドにとっても、原棉の日本向け輸出が増大すれば、外貨（ポンド）を稼いで対英債務の返済を円滑におこなうことが可能になった。この意味において、イギリスは日本の工業化を促したのであり、「通商国家」日本の台頭はイギリス帝国全体にとっても好都合であった。こうした関係は、やがて両大戦間期の中国でも見られるようになり、東アジア地域の工業化と、ロンドンのシティを中心とする金融・サーヴィス利害の優位（ジェントルマン資本主義）は、共存しながらともに発展したのである。

5　イギリス帝国のソフトパワー

キリスト教海外伝道協会と帝国

ヘゲモニー国家イギリスの影響力は、政治経済面だけでなく文化・イデオロギー面にも及んだ。その典型が、キリスト教ミッショナリー（海外伝道協会）の活動である。

一八世紀末―一九世紀初頭に福音主義が高揚するなかで、多くの伝道協会が設立され、キリスト教布教を中心とした「文明化の使命」(civilizing mission) を掲げて、帝国の境界にとらわれず世界各地で宣教活動を展開した。それらは、バプティスト伝道協会（一七九二年）、ロンドン伝道協会（一七九五年）、メソディスト伝道協会（一八一三年）、長老派伝道協会（一八二五年）など、非国教会系がほとんどであったが、国教会も一七九九年にイングランド国教会伝道協会を設立した。

海外におけるイギリス系の伝道協会の活動が軌道に乗るのは、一八四〇年代以降であり、自由貿易帝国主義の展開とも連動していた。たとえば、非公式帝国の中国において、キリスト教布教が自由化されたのは、砲艦外交の典型であったアロー戦争（第二次アヘン戦争）後の一八五八年天津条約による。

イギリス植民地政府や実業界と伝道協会との関係は、微妙であった。たとえば、英領インドにおいて行政当局は、東インド会社による統治の時代から、既存の伝統的な現地社会の秩序を揺るがす行為であるとして、キリスト教伝道協会の活動には一貫して批判的であった。

逆に西アフリカ地域は、帝国内の奴隷制が撤廃された一八三四年以降、伝道協会の活躍の舞台として注目を集めるようになった。その中心的人物が反奴隷制運動の活動家、T・バクストンであった。
彼は奴隷制撤廃後も運動を継続するために、黒人奴隷の供給地であった西アフリカ諸地域の社会改革を提唱した。社会改革の前提として、奴隷貿易に依存してきた西アフリカ地域経済の構造転換を主張した。そのため、伝道協会が活動した地域では、キリスト教の布教活動と並行して、奴隷貿易に代わる「合法貿易」のために、食糧油のためのパーム・オイルや棉花の栽培が導入され、奨励された。西アフリカのニジェール川流域での伝道協会の活動は、パーム・オイルなど新たな第一次産品の輸出拡大をもくろむ、イギリスのリヴァプール商人の経済利害と思惑が一致した。宣教師と商人は、しばしば行動をともにして、現地人に圧力をかけたのである。

一九世紀末になると、各伝道協会は活動の一環として、英語教育や医療活動にも力を注ぎ、非ヨーロッパ世界の現地社会において、民衆の生活にまで影響を及ぼすこともあった。とくに、各協会が設立したミッション・スクールや高等教育機関は、現地社会の優秀な若者を引きつけて、植民地エリートを輩出する母体になった。英語教育を受けた現地人エリート層は、その背後にあった西洋的価値観（議会制民主主義、自由主義的な個人主義など）を受け入れ、公式・非公式の両帝国を超えて、親英的な「協力者階層」（collaborators）として働いた。そのなかから、のちにイギリスの植民地支配を批判するナショナリストも出現した。協力者階層との協調を通じて影響力を行使することが、二〇世紀の帝国支配の行方と、イギリスの世界的な影響力の存続を左右することになったのである。その意味で、海外伝道協会の活動は、ヘゲモニー国家イギリスの「ソフトパワー」を代表していたともいえる。

ヒトの移動と帝国臣民

もう一つの「ソフトパワー」が、帝国内部でのヒトの自由な移動を保証した、帝国の一体性を強調する枠組みである。

イギリスが世界的規模で確立した自由貿易体制（自由貿易帝国）のもとで、インド商人（印僑）も東南アジアや環インド洋諸地域に進出し、独自のヒト・モノ・カネ・情報のつながりを持つ商人ネットワークを確立した。たとえば、第1節で紹介した、奴隷労働に代わるインド人年季契約移民労働者も、その一環であった。また、インド棉花の輸出には、ラリー・ブラザーズなどの多国籍貿易商だけでなく、大阪の棉花輸入を斡旋したボンベイのパールシー教徒タタ一族も関与していた。さらに、南インドのタミル系商業コミュニティであるチェッティヤールは、世紀転換期に英領海峡植民地やビルマ（現ミャンマー）、セイロン（現スリランカ）に進出し、金融業やプランテーション経営に乗り出した。こうしたインド人商人のネットワークは、シンガポールや香港・上海を経由して、日本の神戸にも延びていた。現在でも神戸にモスクがあるのは、その名残である。

イギリス帝国体制とインドの現地人利害との共存と相互依存は、環インド洋世界の南アフリカへのインド人商人の進出と、インド人年季契約労働者の導入でも見られた。一八六〇年代から、ナタール植民地ではインドからの年季契約労働者が導入され、その数は一九一〇年代までに約一五万人に達した。一八七〇年代以降は、独自にインド系商人が来訪するようになり、生活必需品の供給と南部アフリカ内陸部の流通業に進出した。イギリス系農園主や金鉱開発業者にとって、こうしたインド系移民が提供するサーヴィス活動は、植民地経済の開発にとって不可欠であり、一八九〇年代までは歓迎すべき展開であった。

ところで、二〇世紀のインド独立運動の指導者として活躍したM・ガンディーが、第一次世界大戦前までは、南アフリカで法廷弁護士として、現地のインド人移民の権利擁護のために奮闘したことは、意外と知られていない。一八八八年九月から九一年六月までの約三年間、ガンディーはロンドンに留学して、インナー・テンプル法学院で法廷弁護士の資格を取得するために勉強した。当時、イギリス本国で法廷弁護士は高度の知識を有する専門職であり、ジェントルマンに準じる職業として社会的に評価されていた。植民地出身の英語教育を受けたエリートにとって、法廷弁護士の資格は立身出世の重要な手段であった。

一八九一年に資格を取得したガンディーは、インドに帰国したものの、弁護士活動はうまくいかなかった。九三年にナタール植民地のダーバンのインド人貿易商から、金銭トラブルの訴訟裁判への助力を求められ、彼は喜んで渡航した。以後、一九一四年七月までの約二一年間、ガンディーは南アフリカにとどまって、現地のインド人移民の権利擁護に努め、名声を博することになった（図27）。

当時のナタールは、一八九三年七月に責任政府が発足したばかりの自治植民地であった。現地経済は砂糖プランテーションが中心で、年季契約労働者としてのインド人移民労働力により支えられていた。九五年のインド人移民保護官の報告書によれば、ナタールの移民総数は四万六三四三名、そのうち年季が明けて自由身分になった労働者の数は三万三〇三名、それに自由意思で渡航した商人が約五〇〇〇名いた。合わせて、九五年時点で約三万五〇〇〇名のインド系住民が、「イギリス帝国臣民」（British imperial subjects）として、ナタールに居住していた。ナタール立法議会の選挙

図27　ヨハネスブルクの弁護士事務所でのガンディー（中央）　法廷弁護士として活躍したガンディーは年収5000ポンドを得た。同時に、彼の事務所は南アフリカにおけるサッティヤーグラハ（非暴力不服従）運動の拠点でもあった

は財産所有による制限選挙制であり、九五年の時点で、ヨーロッパ系白人の有権者九三〇九名に対して、インド人有権者は二五一名にすぎず、その六割が商人、二割が専門職で占められていた。

ここでいうイギリス帝国臣民とは、一八世紀から一貫して使用されてきたイギリス帝国特有の概念である。近代国民国家の「国籍」(nationality)とは異なり、グローバルに展開したイギリス公式帝国の住民は、人種や肌の色に関係なく、本国を含めて自由に帝国各地を移動し、居住・労働することが保証されていた。この法制上の慣例により、帝国臣民の移動と居住の自由は、本国政府が帝国の威信にかけて保証してきた。したがって帝国各地の非ヨーロッパ系住民は、帝国臣民の権利を行使して、公式帝国内部であれば自由に移動できたのである。この移動と居住の自由は、同時代の他の植民地帝国や国民国家には見られない特典として、非ヨーロッパ系の住民にとっては自己の利害のために大いに活用できた。

若き日のガンディーがインド系商人の権利擁護のために、南アフリカのナタールで法廷弁護士として活躍して、のちにインド・ナショナリズムの指導者として頭角を現したのも、イギリス公式帝国の相互連関と帝国臣民の論理を逆手にとって援用できたからである。

ガンディー自身は、ダーバン到着直後の一八九三年五月末に、依頼された訴訟の件でプレトリアに向かう列車で、露骨な人種差別を体験して、初めて強烈な人種主義の洗礼にさらされた。以後の彼は、法廷弁護士としての専門知識を駆使して、帝国臣民の論理を逆手にとって、ナタール自治政府やのちの南アフリカ連邦（一九一〇年成立）政府の人種差別政策を、「非イギリス的」（un-British）な政策であると強く批判していく。

しかし二〇世紀に入ると、人種主義の高まりによって、白人自治植民地で有色人種の移民を排斥する政策が取られるようになった。一九〇一年に発足したオーストラリア連邦の「白豪主義」がその代表例であった。

第3章　脱植民地化とコモンウェルス

1　帝国からドミニオン、コモンウェルスへ

植民地会議・帝国会議とドミニオンの誕生

二〇世紀のイギリス帝国史の基調は、公式帝国の再編（コモンウェルスへの転換）・解体（脱植民地化）の進展と、世界的規模でのイギリスの影響力の後退である。

帝国構造の再編は、一九世紀末からの白人自治領における植民地ナショナリズムの台頭と、「ドミニオン」（Dominion）概念の誕生から始まった。本国と自治領政府との協議機関として、定期的に植民地会議が開催されたが、当初それは、イギリス王室の祝賀行事と密接に結びついていた。

ヴィクトリア女王（在位一八三七－一九〇一）が在位中の一九世紀末に、二回にわたって即

位記念式典（ジュビリー）がロンドンで開催された。一八八七年の「五〇周年記念式典」(the Golden Jubilee）は、イギリス国民に家庭的な君主としての女王の存在を印象づけた。同時に、自治領の代表を集めた植民地会議が開催された。

他方、一八九七年六月におこなわれた「六〇周年記念式典」(the Diamond Jubilee）は、イギリス帝国の威信と一体性を全世界に向けて示す壮大な祝典になった。ロンドン市街でおこなわれた祝賀行進には、女王自身や各国の君主に加えて、帝国各地から制服を着用した現地人兵士や警官が、約五万名も動員された。街頭にならんだ大衆は、帝国の多様性と広がりを実感して、愛国心を高揚させた。大衆娯楽の場であったミュージック・ホールでも、帝国の栄光と一体感を表現した芝居が上演された（図28）。

こうして、世紀末の二回のジュビリーは、イギリス国民に、世界を支配する大帝国の一員である、という満足感と「帝国意識」を強烈に植えつけた。

王室を帝国支配に利用しようとする試みは、一八七七年一月に、ヴィクトリア女王のインド女帝の兼務を祝う、デリーでの大謁見式で初めて試みられた。その後、白人が移民・定住した自治植民地や、異民族を支配する従属植民地など、イギリス帝国の各地で、現地のエリート層の忠誠を確保するために、本国の王室が頻繁に利用された。エドワード七世の戴冠式（一九〇二年）やジョージ五世のそれ（一九一一年）は、王族による帝国各地の訪問（ロイヤル・ツアー）とともに、内外にイギリス帝国の一体性をアピールする絶好の機会になった。

ところで、第2章で述べたように、一八九五年、統一党内閣の植民地大臣に就任していたJ・チェンバレンは、帝国の膨張政策を積極的に推進した。彼は、カナダ連邦をモデルにしたイギリス帝国の一体化、とくに白人自治領との緊密な協力をめざす帝国連合の形成を模索していた。それは、本国と自治領が互恵の原則にもとづいて、帝国内の自由貿易（自治領側が輸入関税を撤廃）と、食糧や原料輸入での帝国特恵を実現し、さらに自治領に帝国防衛の経費分担を求めて軍事同盟をつくろうとする計画であった。だが、チェンバレンが九七年の第二回植民地会議で提示した帝国連合構想は、防衛費の分担と自治権の侵害

図28　ヴィクトリア女王即位60周年記念式典　セントポール大聖堂に到着したヴィクトリア女王。式典には帝国の一体性を誇示するため、インド軍・シーク兵のように帝国各地から多くの現地人兵士が動員された

を恐れた自治領側によって拒否された。

こうしたなかで、二〇世紀に入って新たな動きが見られた。自治領側では相次いで連邦化が進展した。

まず一九〇一年に、六つの自治領が統合されてオーストラリア連邦が結成され、非白人系移民を排除する白豪主義が導入された。一九〇二年、エドワード七世の戴冠式に合わせて開催された第三回植民地会議では、オーストラリアとニュージーランドが、帝国海軍への献金を承認している。

次いで南アフリカでは、アフリカーナー（ボーア人）との和解が模索され、自治権を与えられた旧トランスヴァール共和国、旧オレンジ自由国にケープ、ナタールの二つの植民地を加えて、一九一〇年に南アフリカ連邦が成立した。同時に、アフリカーナーを中心とする白人の優越が法律で制度化されて、のちのアパルトヘイト（人種隔離政策）の原型が確立された。

帝国貿易政策の領域では、一九〇七年に開催された第四回帝国会議（植民地会議を改称）で、かねてから問題とされていた帝国特恵が議論された。一九〇六年のイギリス総選挙で、自由貿易の維持を公約にあげた自由党が大勝したことで、本国側の方針は明確であった。帝国会議では、欧米諸国への第一次産品の輸出を通じた貿易黒字の獲得と、本国への債務返済を重視するインド政庁が帝国特恵に反対したため、ここに帝国特恵論は終わりを告げた。この会議から、自治領諸国は「ドミニオン」と称し、イギリス本国と対等な関係を模索し始めた。

さらに、一九一一年のジョージ五世の戴冠式に合わせて開催された第五回帝国会議では、海軍による帝国の防衛問題が議論された。ドミニオン側に防衛費の分担を求めた本国の要求に対して、逆に、カナダとオーストラリアは独自の海軍（本国海軍とは指揮系統が異なる別働艦隊）の創設を求め、これを認められた。またドミニオン諸国は、本国の帝国防衛委員会（一九〇二年に創設）での防衛問題の議論に参加して、イギリス帝国の防衛の一翼をになうことになる。

こうして、本国とドミニオン諸国が、帝国会議を舞台にして、対等の原則にもとづいて協力・協同していく方向性は、第一次世界大戦までには既定の事実になっていったのである。

第一次世界大戦と帝国の戦争協力——インド軍の海外派兵

帝国再編のきっかけになったのは、一九一四年七月末の第一次世界大戦の勃発と、帝国の戦時協力である。第一次世界大戦は、イギリス帝国の構造を変えただけでなく、非ヨーロッパ世界のナショナリズムを刺激して、世界史の流れを大きく変えることになった。

一九一四年八月四日の、英国王ジョージ五世による対ドイツ宣戦は、帝国諸地域の植民地政府や住民の意思にかかわらず、イギリス帝国全体を代表しての宣戦であった。親ドイツ的なアフリカーナーを抱えた南アフリカを除くドミニオンは、即座に本国政府の決定に同意し、軍隊の動員と派兵に着手した（カナダ、四五万八〇〇〇名。オーストラリア、三三万一〇〇〇名。ニュージーランド、一一万二〇〇〇名。のちに南アフリカ、七万六〇〇〇名）。ドミニオンの戦争協力は、結果的には彼らの本国からの自立性をさらに高めた。大戦直前まで、自治法案をめぐって紛糾が続いたアイルランドでは、戦争終了までは自治問題を棚上げにしたうえで、多数の義勇兵がイギリス軍に参加した。

しかし、最大の戦時動員と海外派兵に応じたのは、英領インドであり、一九世紀から帝国拡張の先兵として使われたインド軍であった。一九一四年の大戦勃発時に、インド軍の兵員数は、戦闘要員一五万五〇〇〇名、非戦闘員四万五〇〇〇名、計約二〇万名で編成されていた。開戦とともにインド軍は、イギリス帝国の戦争のために即応戦力として動員され、フランス、東アフリカ、ペルシャ湾岸地域およびエジプトに派兵された。インド駐留のイギリス軍歩兵大隊と砲兵部隊は、九大隊を除いてすべて本国に送り返され、それらはイギリスからの国防義勇軍部隊で代替された。

その後、戦線の拡大にともなって、インド軍が派兵された地域は急速に広がり、その派兵対象となった地域は、フランス、ベルギー、ガリポリ、サロニカ、パレスティナ、エジプト、スーダン、メソポタミア、アデン、紅海沿岸、ソマリランド、カメルーン、東アフリカ、ペルシャ、クルド地方、カスピ海沿岸、中国北部、英領インド北西・北東国境地域に及んだ。また一九一八年一二月末までに、新たに戦闘員として八七万七〇〇〇名、非戦闘要員として五六万三〇〇〇名、合わせて約一四四万名のインド人が、現地インドで戦争遂行のために募集された。第一次世界大戦を通じて、インド軍関係の兵員数は七倍強に拡大されたのである。このうち、将兵や非戦闘員・労務者として約一〇九万六〇〇〇名のインド人が海外に派兵された（図29、30）。

とくに戦争の後半段階において、中東地域のオスマン帝国を相手にした軍事作戦では、インド軍が戦闘部隊の主力を務め、イラクのバグダッド攻略や、「アラビアのロレンス」が活躍した戦場でもインド軍は活用された。またヨーロッパ西部戦線では、約一三万八〇〇〇名のインド現地人兵士が、白人相手の戦闘に動員された。その際、世紀転換期の南アフリカ戦争では問題となった、白人の優越感や有色人種に対する偏見はまったく考慮されず、インド軍の戦闘能力が重視された。

長期化した塹壕《ざんごう》戦と多くの犠牲者を出したことで、部分的にインド軍部隊の士気が低下したこともあったが、白人を相手に互角に戦い、植民地では支配者であったイギリス人将兵と同列で本格的な近代戦の戦闘に参加したことは、ヨーロッパに派兵されたインド人兵士たちの自信と誇り、さらにナショナリズムを高揚させることになったのである。

イギリス人計	インド人計	総　計
21,348	138,608	159,956
5,609	47,704	53,313
185,497	675,391	860,888
20,259	144,026	164,285
227	4,950	5,177
937	9,931	10,868
2,219	26,202	28,421
2,010	50,198	52,208
238,106	1,097,010	1,335,116

図29　グルカ兵を閲兵するイギリス軍将校　インド軍の精鋭であるネパール出身のグルカ連隊を閲兵する、第一次大戦期のインド軍分遣隊司令官J・ウィルコックス

戦費の負担に関しては、第一次世界大戦開戦直後にインド政庁が、海外に派兵されるインド軍の通常維持経費を負担する申し出をおこない、本国議会で認められた。さらに、インドからの軍隊移動経費(臨時経費)、インド北西国境や海岸部の防衛費、エンパイア・ルートの拠点であり慣例的にインドがその経費を負担していた、アラビア半島南端のアデンでの作戦活動にともなう諸経費など、約七八〇〇万

図30　第一次世界大戦におけるインドからの兵員動員数

派兵地域	戦闘要員				非戦闘要員
	イギリス人将校	イギリス人兵士	インド人下士官	インド人兵士	インド人
フランス	2,395	18,953	1,923	87,412	49,273
東アフリカ	928	4,681	848	33,835	13,021
メソポタミア	18,669	166,828	9,514	317,142	348,735
エジプト	3,188	17,071	2,208	107,743	34,075
ガリポリ	42	185	90	3,041	1,819
サロニカ	86	851	132	6,545	3,254
アデン	952	1,267	480	19,936	5,786
ペルシャ湾	991	1,019	967	29,408	19,823
合　計	27,251	210,855	16,162	605,062	475,786

〈注〉上記の数字には、開戦直後インドからイギリス本国に呼び戻されたイギリス人将兵42,430名を含んでいない。それを含めると、総動員数は1,377,546名となる。
〈出典〉H. S. Bhatia (ed.), *Military History of British India, 1607–1947*, (Delhi, 1977)

ポンドもインド財政から支出された。それに加えて、一九一七年初めにインド立法参事会の同意を得たうえで、インド政庁は、特別にイギリスへ一億ポンドの「自主的」献金をおこなった。結局インドは第一次世界大戦で、合計二億二九〇〇ポンドの経費を負担することになった。

他方、ドミニオンのオーストラリア＝ニュージーランド連合軍（アンザック軍）は、戦争当初、オスマン帝国のダーダネルス海峡でのガリポリ上陸作戦に投入された。W・チャーチルが立案したこの作戦は無残な失敗に終わり、約三万三〇〇〇名の死傷者を出した。だが、アンザック軍の奮戦は、両国における「国民意識」を高め、上陸日である一九一五年四月二五日は、現在でもアンザック・デーとして記憶されている。当初アフリカーナーの反対で参戦に慎重であった南アフリカは、大戦に乗じて、ドイツの植民地であった南西アフリカ（ナミビア）とタンガニーカを攻略し支配下に置いた。

戦争の長期化にともない、本国首相のロイド＝ジョージは、一九一七年三月から終戦までに数回の帝国戦時内閣と帝国戦時会議を開いて、ドミニオン諸国と軍事戦略や戦後処理で協議をおこなった。

イギリスの同盟国であった日本は、積極的に参戦して、ドイツ領の南洋群島や中国におけるドイツの租借地・青島《チンタオ》を攻略した。また、イギリスの要請で、地中海のマルタ島に駆逐艦を派遣し、エンパイア・ルートの防衛に協力した。一九一五年には、シンガポールに駐留したインド軍歩兵連隊が反乱を起こし、日本海軍の巡洋艦の助力により鎮圧されるという事件も発生した。

アイルランド自由国の成立と一九一九年インド統治法

戦時協力が順調に得られたなかで、イギリス帝国を震撼《しんかん》させた武装蜂起が、一九一六年四月に、アイルランドのダブリンで起こった。J・コノリーら反戦派の急進的共和主義者が決起した、イースター蜂起である。蜂起自体は、約四五〇名の死者を出して一週間で鎮圧された。しかし、その後のイギリス政府による過酷な処置（蜂起指導者一五名の軍法会議による処刑）が、一般大衆の反英感情に火をつけた。イースター蜂起は、本国の足元で大戦中に発生した唯一の民族蜂起として、イギリスの戦争目的（ベルギー等の中立回復）の正当性に疑問を投げかけたのである。

大衆の反英的ナショナリズムをとらえたシン・フェイン党は、一九一七年に独立綱領を発表するとともに、翌一八年一二月の総選挙で圧勝した。彼らは本国のウェストミンスター議会への出席を拒否し、ダブリンに独自のアイルランド共和国議会を開設し、独立宣言を発した。同時に、M・コリンズが再編したアイルランド義勇軍は、反英武装闘争を展開した。本国政府は、復員兵を中心に鎮圧軍（ブラック・アンド・タンズ）を投入し、両者の間で独立戦争が展開された。緊迫した交渉の結果、二一年一二月に英＝アイルランド条約が締結された。

ロイド＝ジョージが考案したとされるこの条約で、アイルランドは、プロテスタントが優勢な北部六州（アルスター）とカトリックの南部二六州に分割された。南部は、独自の憲法と議会を有し、カナダ連邦やオーストラリア連邦と同等に、イギリス帝国内で自治権を有するドミニオン、「アイルランド自由国」（Irish Free State）として形式的に独立した。一方、北部のアルスターは、連合王国内の自治領として自治議会が設けられた。これは妥協の産物であったが、のちに北アイルランド紛争を引き起こす要因となった。南部では条約の批准をめぐって内戦が勃発したが、一九三二年に成立するデ＝ヴァレラ政権は、帝国からの自立、ドミニオンの地位からの脱却を求め、帝国＝コモンウェルス体制を揺るがしたのである。

他方、戦後の自治を期待して大規模な戦時協力に応じたインドでは、一九一九年に新たにインド統治法が制定された。同法は、デリー（一九一一年にカルカッタから遷都）のインド政庁には、インド総督やインド高等文官（ICS）の専制的支配を残しながら、地方の州政府において部分的自治を認める「両頭政治」を導入した。それ以上に重要であったのが、戦時協力の代償として、インド政庁に事実上の関税自主権が委譲された点である。法制上は植民地でありながら、インド政庁は財政を立て直すために、本国産の工業製品（綿製品）に対する関税率の引き上げを認められた。東アジアの主権国家の場合、関税自主権の回復は、日本が一九一一年、中国はさらに遅れて二八年であることを考慮すると、この譲歩は画期的である。経済・貿易政策において、インド政庁の自立性はさらに高まることになった。

同時にイギリスは、一九一九年に制定したローラット法により、民族運動への抑圧を強めた。これに対する抗議運動のなかで、南アフリカから帰国していたガンディーの非協力運動が始まることになる。

一九一九年四月には、パンジャブ地方のアムリトサルで、イギリス人将軍ダイヤが三七九名の民衆を虐殺した事件が発生した。この事件は、同年に起こった中国の五・四運動、朝鮮の三・一運動と同様に、インド民族運動の高揚を促した。ガンディーは、二二年まで、最初の「非暴力・不服従」（サティヤーグラハ）闘争を指導した。その過程で、少数派ムスリムの支持も得て、インド国民会議派は大衆運動組織に転換した。

ウェストミンスター憲章と帝国＝コモンウェルス体制

帝国の戦時協力の代償として、ドミニオン諸国は、戦後のヴェルサイユ講和会議への参加を認められた。ドミニオンは講和条約でも独自の調印権を与えられ、その条約の発効には、各ドミニオン議会での批准が必要とされた。戦後新たに創設された国際連盟や国際労働機関（ＩＬＯ）などの国際機関でも、ドミニオンの代表権が認められた。イギリスを「後見人」とする変則的なかたちであったが、ドミニオン諸国は、国際社会に事実上の独立国家として登場したのである。

さらに、第一次世界大戦中にドイツ領植民地を占領した三つのドミニオンは、戦後、南アフリカ連邦が南西アフリカを、オーストラリアがニューギニアとビスマルク諸島を、ニュージーランドが西サモアを、国際連盟から委任統治領として任された。イギリス本国も、中東の旧オスマン帝国領（パレスティナ、トランス＝ヨルダン、イラク）やアフリカの旧ドイツ領（タンガニーカ、カメルーン）の委任統治を担当した。同盟国日本は、南洋群島を委任統治領として獲得した。アメリカ大統領のウィルソンが唱えた「民族自決」原理は非ヨーロッパ地域には適用されず、委任統治領の実態は植民地とかわりなかった。これら委任統治領が加わることで、一九二〇年代初頭にイギリス公式帝国の版図は史上最大となったのである。

またドミニオンは、本国の外交政策にも一定の影響力を及ぼすことが可能になった。一九二一―二二年のワシントン会議では、日英同盟の更新が論争点になった。イギリス本国やオーストラリア、ニュージーランドが、同盟の更新を主張したのに対して、カナダはアメリカの支持を得て、日本の北太平洋や中国での脅威を理由に、同盟の撤廃を強硬に主張した。最終的に本国政府は、米加両国の利害に配慮して日英同盟を廃棄し、代わりに四ヵ国条約を締結した。日本はこの決定に不満を表明し、日英関係は一時的に悪化した。

一九二六年の帝国会議では、南アフリカとアイルランドが、主権国家として自国の独立性を強く主張し、その確認が得られない場合、帝国からの離脱を示唆した。そのため会議は、本国の元首相バルフォアを委員長とする委員会で討議を重ね、本国とドミニオンの地位が対等であるとするバルフォア報告書を提出した。三一年のウェストミンスター憲章は、それを再確認したものであり、イギリス公式帝国は、国制上は、本国と対等の地位にある英領コモンウェルス(The British Commonwealth of Nations)の特権的な一員としてのドミニオン諸国と、従来通りの従属的な植民地が並存する帝国＝コモンウェルス体制に移行した。

2　ヘゲモニー国家から構造的権力へ

構造的権力としてのイギリス帝国

二つの世界大戦にはさまれた戦間期、とくに一九三〇年代の国際秩序とイギリス帝国の役割に関して、近年のアジア経済史とイギリス帝国経済史研究の成果を反映して、急速な見直しが進んでいる。

イギリスの場合は、伝統的に植民地や勢力範囲を軍事力でコントロールする公式・非公式の帝国を拡大すること、その中心としてのインドの植民地化を進めることが、一九世紀中葉にヘゲモニー国家としての地位を確立するに際しての基本的な枠組みであった。この枠組みは、一九-二〇世紀の世紀転換期になると、帝国という領域限定的で軍事力・政治力によって規定される権力だけでなく、グローバルな経済的影響力（たとえば自由貿易体制や基軸通貨としてのスターリング）を、ヘゲモニー国家の基本的な要素に組み込んでいくことになった。

その後、第一次世界大戦をへた戦間期になると、しだいに、後者の経済的影響力のほうが、前者の軍事力・政治力に取って代わるようになった。ヘゲモニー国家の経済力自体も変化して、農業や製造業が国際競争力を失う一方で、シティの金融・サーヴィス部門は、その影響力を温存し強化する傾向にあった。

ここでは、こうしたヘゲモニー国家イギリスの権力の変質・変化をよりよく理解するために、依然として国際社会において、国民国家や帝国の領域性を越えて隠然たる影響力を行使した、相対的な衰退期のヘゲモニー国家のプレゼンスを、「構造的権力」(structural power)と規定したい。

通説的理解では、戦間期は、イギリスのヘゲモニー(パクス・ブリタニカ)からアメリカ合衆国のヘゲモニー(パクス・アメリカーナ)への移行期、または、英米両国によるヘゲモニー共有の時期と考えられてきた。たしかに、軍事力・安全保障面から見ると、イギリスが戦前に維持してきた優位は崩れた。海軍ではアメリカと日本の台頭が顕著であり、一九二〇年代のヴェルサイユ＝ワシントン体制、海軍力削減を約したワシントン海軍軍縮条約では、英米日三国間の主力艦保有比率が、五：五：三とされ、王立海軍はアメリカ海軍と対等の戦力に抑えられた。

他方、イギリス帝国の陸軍力としてのインド軍に関しても、本国側によるその恣意的な運用と海外派兵に対して一定の制約が課せられた。まず、第一次世界大戦で動員された約一四四万名の兵員の動員解除と財政負担の軽減が不可欠であった。一九二〇年代のインドは、イギリス本国と同様に財政難によって緊縮予算を余儀なくされ、最大の支出項目であった軍事費の削減が至上命題になった。

逆にイギリス帝国の支配領域は、戦後、中東地域での国際連盟の委任統治領（パレスティナ、トランス＝ヨルダン、イラク）やペルシャ湾岸の保護国等、新たな非公式帝国が加わって拡大した。明らかに軍事力の「過剰散開」（overstretch）状態が生じた。

さらに、戦後の一九一九年インド統治法によって政治的発言力を高めたインド人ナショナリストたち、とくにインド国民会議派は、インド軍の帝国主義的な海外派兵に対して、一貫して反対の姿勢を示した。ドミニオンと同様に、いまや、従属的植民地であった英領インドの「協力者」たちも、政策に対する影響力を部分的に行使できる立場を確保したのである。

一九二二年の帝国防衛委員会での審議をへて、翌二三年一月の本国閣議で、インド軍海外派兵を抑制する原則が確認された。この基本的立場は一九二〇年代を通じて維持され、二〇年代のインド軍の海外派兵は、二七年の中国・上海防衛軍としての派兵の一例だけにとどまった。しかも、その上海派兵は早急に切り上げられて、必要経費は全面的にイギリス本国政府が負担した。インド軍の海外派兵経費を本国が負担する原則が、ようやく確立されたのである。

こうして、軍事力の世界的な展開能力に関して、財政的にも政治的にも制約を受けることになったイギリスは、ナチス・ドイツに対抗して一九三三年以降、再軍備に着手してからも、その軍事力の増強には限界を抱えていた。したがって一九三〇年代半ば以降、イギリス政府の外交当局、とくに蔵相・首相を歴任した保守党のN・チェンバレン（J・チェンバレンの二男）は、独・伊・日三国に対して、その軍備拡張と領土膨張を容認する宥和《ゆうわ》政策を展開した。同時に、構造的権力としての影響力の行使も、安全保障・軍事面から、ロンドン・シティの金融・サーヴィス利害を最大限に活用した、経済的な影響力の行使へと移行したのである。

世界恐慌と帝国特恵（オタワ）体制

一九二〇年代のイギリスにとって、戦前のヘゲモニー国家への回帰、パクス・ブリタニカの復活が目標となった。一九二五年四月の国際金本位制への旧レート（一ポンド＝四・八六米ドル）での復帰は、その典型であった。ポンドの価値を実勢レート以上に過大評価した旧レートでの金本位制への復帰は、イギリス本国の産業界にとってはポンド切り上げとなり、輸出を困難にして打撃を与えた。他方、ロンドン・シティは、海外のポンド建て資産の価値を温存でき、ニューヨークに対抗する国際金融センターの地位を保つためにも必要な措置であるとして、この政策を歓迎した。

この「正常への復帰」（return to normalcy）に打撃を与えたのが、一九二九年一〇月の世界恐慌の勃発であった。世界恐慌のイギリス帝国に対する影響は、やや遅れて一九三〇年代初めに及んできた。

通説的理解によれば、イギリス帝国はこの世界恐慌に対して、帝国特恵（オタワ）体制とスターリング圏の形成で対応したとされる。

一九三一年九月に、イギリスは国際金本位制から離脱して、ポンドを切り下げて管理通貨制度に移行した。翌三二年三月には輸入関税法を制定し、一律一〇％の輸入関税を導入した。さらに、この年の七―八月に、カナダのオタワでドミニオン諸国と帝国経済会議を開催して、帝国内部で相互に輸出入関税率を優遇し合う帝国特恵関税を導入した。一八四〇年代末に確立されて以来、一貫して維持してきた自由貿易体制に終止符をうって、イギリスはついに保護貿易に移行した、と解釈されてきた。

モノの移動（輸出入）に関する帝国特恵体制（関税ブロック）を補完したのが、スターリング圏である。スターリング圏は、国際金本位制の代わりにポンドを基軸通貨とする国際金融体制であり、イギリス帝国諸地域はロンドンで準備金としてのポンドを保有する（スターリング残高）ように義務づけられた。帝国特恵体制とスターリング圏によって、イギリス本国を中心とする閉鎖的な経済ブロック体制が構築されたとされる。

こうした通説的理解によれば、一九三〇年代にイギリスの国際的な影響力は大きく後退し、ヘゲモニー国家としての地位を喪失したと考えられる。

しかし近年の研究では、この通説的見解が修正され、一九三〇年代のイギリスは依然としてグローバルな影響力を行使できる「構造的権力」であり続けたことが明らかになった。

帝国特恵体制は、世紀転換期から関税改革運動を通じて、J・チェンバレンが提唱していた。しかし、実現された帝国特恵は、本来の本国側の思惑からはずれて、英領インドを含む帝国諸地域やドミニオンの側に有利であった。とくにドミニオンは、包括的な枠組みに縛られることに抵抗したため、帝国特恵体制は最終的に、本国側と個別に一二の二国間交渉・協定を束ねた、緩やかな特恵制度に落ち着いた。ドミニオンは、イギリス本国製品に対する自国の輸入関税を従来の税率で維持する（帝国外の諸地域に対しては引き上げる）ことを認められる一方で、本国側は、ドミニオン・諸植民地の第一次産品に対する関税率を引き下げたため、帝国特恵体制はドミニオン側にとって有利な制度になった。

その結果、本国の産業利害（製造業者）の期待に反して、ドミニオンや植民地向けの工業製品の輸出は伸びず、逆に、ドミニオン・植民地から本国への第一次産品の輸出が急激に増大した。本国の帝国諸地域に対する貿易黒字は消滅し、逆に、イギリス本国は帝国諸地域に対して貿易赤字を抱えるにいたったのである。

イギリスはいまや世界最大の輸入国となり、帝国諸地域にとっては、欧米諸国、とくにアメリカ合衆国の第一次産品の需要減退を補う、最大の輸出市場になった。ドミニオン諸国は、本国への第一次産品輸出で稼いだポンドを、累積債務の返済に充てることができ、シティに対する債務不履行は回避された。

スターリング圏の形成――アルゼンチンとカナダ

他方で、一九三〇年代のスターリング圏には、イギリス本国と、オーストラリア、南アフリカ、ニュージーランド、アイルランドのドミニオン（カナダ連邦とニューファンドランドは除く）、英領インド、海峡植民地などの従属領、香港、アデンなどの直轄植民地を含む公式帝国だけでなく、イギリスと緊密な貿易・金融関係を有したスカンジナビア諸国、バルト三国、ポルトガル、シャム（タイ）、イラク、エジプト、アルゼンチン等の、公式帝国に属さない諸国が含まれていた。

このうち、ラテンアメリカ地域でもっともイギリスと経済関係が深かったアルゼンチンに対して、一九三三年にロカ゠ランシマン協定が結ばれた。この協定は従来の理解によれば、イギリスがアルゼンチン産の冷蔵牛肉の安定的な輸入と引き換えに、イギリス工業製品に対する関税引き下げを強要し、非公式帝国圏市場のアルゼンチンにおいて、アメリカに対抗しつつ本国の工業利害の擁護をはかった事例とされてきた。

しかし最近の研究では、この協定とシティ金融利害との関連性が強調されている。すなわち、アルゼンチンでは、国内産業を保護し輸入代替工業化を推進するため、また同時に関税収入を確保するために、輸入関税の税率引き下げはおこなわれなかった。また、ロカ＝ランシマン協定の第二条には、為替規制の条項が盛り込まれていた。アルゼンチンでは、為替の取引規制が一九三一年からおこなわれていた。同協定では、イギリスが好条件で新たな借款（Roca Funding Loan 年利四％、二〇年償還）を提供する代わりに、アルゼンチン政府は、対英債務の返済を優先するために、特別基金（Exchange Margin Fund）を設置した。アルゼンチンの蔵相のピネドはイギリス側に協力的で、イギリス本国でアルゼンチン産の牛肉・農産物加工品の輸出市場を確保するために、シティ金融利害を優遇する政策を推進した。こうした政策によって、一九三〇年代のアルゼンチンは「名誉自治領」と呼ばれ、引き続きイギリスの非公式帝国の地位にとどまったのである。

他方、カナダはドミニオンの有力メンバーであったが、隣接したアメリカ合衆国と緊密な経済関係を保ち、通貨も事実上米国ドルに連動させてスターリング圏には加わっていなかった。そのカナダに対して、本国イギリス側は、イングランド銀行総裁のM・ノーマンを中心にして、一九三〇年代前半に、中央銀行設立の働きかけを通じて影響力を強化し、カナダを実質的にスターリング圏に取り込もうと試みたのである（図31）。

カナダでは、一九二〇年代にアメリカ企業による直接投資・工場建設が進み、モノの輸出入でアメリカの影響力が強まる一方、借款も約六割が米ドル建てで、金融面でも、シティではなくニューヨーク金融市場（ウォール・ストリート）に依存する傾向にあった。一九二九年に金本位制を離脱して通貨政策で独自性を強めるカナダに対して、イギリスは、スターリング圏を広げて安定化させるために、本国のイングランド銀行型の中央銀行の設立を働きかけた。カナダ内部でも、通貨政策での主導権確保と、アメリカ金融市場への過度の依存への懸念から、中央銀行設立の動きが生まれた。

一九三三年六月には、カナダ保守党内閣首相R・B・ベネットの決断で、「銀行・通貨に関する王立委員会」（五名）が設立された。イギリス側からは、マクミラン卿（議長）と金融問題の専門家で政府財政顧問のC・アディスが加わり、イングランド銀行首席顧問のケルショウが助言役を務めた。委員会は同年九月、中央銀行設立を勧告する報告書を提出した。

図31　イングランド銀行総裁M・ノーマン（1871－1950）　戦間期に異例の長期間（1920－1944）総裁を務め、1931年9月の金本位制離脱後の金融政策で辣腕を発揮した

カナダ国内では、設立されるべき中央銀行の性格をめぐって意見の対立が見られた。自由党のM・キ

ングが、中央政府の影響力の強化と、国際経済秩序よりもカナダの国内事情・経済再生の優先を主張して支持を集め、一九三五年総選挙で勝利を収めた。結局、三五年のカナダ中央銀行法では、金融政策の最終決定権は、カナダ中央政府の判断に委ねられて、カナダをスターリング圏に取り込もうとしたイギリス本国側、イングランド銀行の当初の意図は実現できなかった。

以上の経緯は、「構造的権力」であるイギリスに対して、経済・金融面で自立性を高めつつあったドミニオンのカナダが、逆に交渉・立法の過程で自主性を貫いた事例として解釈できる。しかし、この中央銀行設立を通じた本国の影響力の強化策は、カナダだけにとどまらず、イギリス帝国各地でも試みられた。それは、一九三〇年のオーストラリア・コモンウェルス銀行への支援と助言、三四年ニュージーランド準備銀行、三六年インド準備銀行の設立と続き、前述のアルゼンチンでも三五年に中央銀行が設立されるなど、一定の成果を収めたのである。

第一次日印会商とインド原棉

次に、一九三〇年代のアジアで展開された経済外交を見てみよう。「構造的権力」イギリスと、高揚するインド、中国の経済ナショナリズムの関係性を考えることで、アジアにおける新たな経済秩序形成の萌芽を見出すことができる。

最近のアジア経済史研究では、一九三〇年代のアジア国際秩序における、貿易体制の対外的な「開放性」とイギリス帝国圏以外の諸国との貿易の重要性が強調されるようになった。その開放性の典型が、一九三〇年代の日本に対するインド原棉の大量輸出であった。

英領インドでは、すでに述べたように一九一九年以降、事実上の関税自主権が認められ、本国工業製品、とくに綿製品の輸入に際して、インド財政の歳入確保のために輸入関税が課せられた。関税率は、それまで優遇されてきた綿製品に関しても、第一次世界大戦中の一七年に一般税率の七・五％に引き上げられ、インド財政難の打開策として、一九二〇年代後半に徐々に引き上げられ、オタワ体制が成立した一九三二年以降も決して引き下げられることはなかった。

実はインドでは、イギリス本国の綿業資本の圧力により、一九三〇年から、関税率でイギリス本国製品を五％優遇する（英一五％、外国二〇％）、事実上の特恵関税が先行して導入されていた。帝国特恵による差別的関税率は、三二年まで五％の優遇であったが（一九三一年、英二〇％、外国二五％。一九三二年、英二五％、外国三〇％）、三三年には、とくに日本製品をねらい撃ちにして、外国製品に対する税率が大幅に引き上げられた（一九三三年五月、英二五％、外国五〇％。一九三三年六月、英二五％、日本七五％）。この三三年六月の措置は、日本との貿易摩擦を引き起こした。

こうした財政収入確保を目的とした輸入関税の引き上げは、インドの国産綿製品に対して「保護効果」を与える、事実上の保護関税として機能していた。第一次世界大戦は、インドの工業の育成についても、方向転換を迫った。大戦によってはじめて、工業の戦略的重要性がインド政庁に認識され、国家介入が始まった。大戦が終わると、鉄鋼（タタ・スチール、一九〇七年設立）、セメントなどはインド内での自給が可能になった。

イギリス本国にとって、この時期もっとも重要であったのが、海外投資にともなう債権の確実な回収であり、そのためには、英領インドの貿易黒字確保と、ルピー通貨価値・為替相場の高値安定が必要であった。前者の実現のために現地インド政庁は、原棉、ジュート製品、綿製品のインドからの輸出を奨励し、結果的に本国からの工業製品の輸入を抑制する政策をとった。こうした貿易政策は自国産業、とくにボンベイやアフメダバードを中心とする、綿業の発展と工業化を望んだインド側のナショナリスト、資本家層にとっても好都合であった。したがってナショナリスト穏健派は、イギリス支配に対する「協力者」として働き続けた。

ところで、第2章でも述べたように、世紀転換期から一九三〇年代まで、日本は一貫してインド原棉の最大の輸入国であった。他方、イギリス本国は、インド棉輸入拡大を取り決めた一九三三年のリース＝モディ協定と、インド棉使用の促進をはかったランカシャー・インド棉委員会の努力によっても、インド棉花の輸入実績では第二位にとどまっていた。インド棉の輸入は日本の工業化にとっても不可欠であったが、この大量輸入は、一九三〇年代に日本が経済外交政策を展開するにあたって、重要な交渉のカードになったのである（図32）。

図32　1930年代初頭のインド原棉輸出と国内消費

（単位：1,000梱；400重量ポンド）

輸出先	1929	1930	1931	1932	1933
イギリス	233	286	274	125	242
ヨーロッパ大陸	1,429	1,505	1,003	424	862
中　国	456	555	626	243	169
日　本	1,722	1,409	1,753	757	1,426
その他	93	113	73	33	42
輸出合計	3,933	3,868	3,729	1,582	2,741
インド国内消費	2,742	3,123	3,021	3,096	3,110
総　計	6,675	6,991	6,750	4,678	5,851

〈出典〉Department of Overseas Trade, *Conditions and Prospects of United Kingdom Trade in India,1930–31* (London,1932) ; Ibid., *1931–32* (London, 1932), ; Ibid., *1933–34* (London, 1935)

一九三三年四月にインド政庁は、日本の綿製品輸出の急増を抑える方策として、日本製品に対する輸入関税率を七五％に引き上げるとともに、最恵国条項を含んだ日印通商条約の破棄を通告した。日本側は対抗措置として、インド棉花の輸入ボイコットに踏み切り、両国間で貿易摩擦が深刻化した。問題打開のために、三三年九月から翌三四年一月まで、インドのデリーとシムラで、日印政府間交渉がおこなわれた（第一次日印会商）。

この交渉に際して、インド上級通商弁務官T・アインズコフは、イギリス帝国と英領インドにかかわる利害の調整役として活躍した。また、日本駐在の商務参事官G・サンソムも、インド政庁への政治的助言者とイギリス政府オブザーバーとして、日本の経済利害をイギリス帝国利害と調整するため、二重の任務を帯びて日本側代表団との交渉に臨んだ。

アインズコフとサンソムは、互いの役割分担を守りながらも緊密に協力することで、インド政庁が管轄した経済外交における事実上の責任者として、日頃の貿易・通商に関する分析と助言の経験を活かすことができた。とくにサンソムは、日本側にとってインド原棉のボイコットが交渉の切り札であること、インド政庁と英領インドの農業利害にとっても日本向け原棉輸出の継続が不可欠であることを、十分に認識していた。

交渉が山場に差しかかった一九三三年一〇月末に、サンソムは、日本綿製品の輸入規制（輸入割当制）の緩和と引き換えに、インド原棉の輸出促進策（日本側の購入義務化）をはかることが重要であると判断していた。つまり、日本側に、日本の綿製品輸出とインド原棉輸入とのリンケイジを認めさせること、それを通じてインド原棉の販路拡大をはかることが、インド政庁にとって是非とも必要であった。インド政庁財政委員でインド財政問題の責任者であったG・シャスターも、日本の原棉輸入の重要性を、インド政庁側の会議で繰り返し主張していた。この文脈において帝国特恵体制は、イギリス帝国圏以外の諸国（この場合、日本）にとっても「開かれた」、自由貿易原理が依然として有効な貿易体制であった（図33）。

他方、インドのルピー通貨価値の安定にかかわる金融・財政政策に関して、シティ金融利害に支えられたイギリスの「構造的権力」は、現地インドの利害を無視して行使された。と

図33　第一次日印会商の代表団　1933年9月22日にインドのシムラでおこなわれた第1回会談に臨む日印代表団。向かって左から2人目は日本側の澤田節蔵首席代表。右から2人目はインド側のJ・ボーア（朝日新聞社提供）

くに問題になったのが、ポンドとインド・ルピー貨の為替交換レートであった。インドのナショナリストは、インドの輸出を促進するために為替レートの引き下げ（一ルピー＝一シリング四ペンス）を主張したのに対して、本国政府は、インドへの投資価値を温存しつつ、債権の円滑な回収をはかるために、ルピー価値の高値安定（一ルピー＝一シリング六ペンス）の政策を譲らなかった。

　同様な現地通貨と本国通貨との高い為替交換レートは、英領の海峡植民地や、蘭領東インドでも見られた。結果的に、南アジア・東南アジアにおける欧米植民地の通貨は、金融・財政利害を優先した本国側の政策によって、世界恐慌後も通貨の切り下げがおこなわれずに、通貨価値は高値で安定したまま推移した。モノの輸出入では柔軟な対応を取ったイギリスも、シティ金融利害（カネ）の擁護のためには、「構造的権力」を行使したのである。

中国の幣制改革とイギリス金融利害

金融利害を通じたイギリスの影響力強化は、公式にはスターリング圏外にあった東アジアの中国でも試みられた。一九三五年一一月の中国幣制改革への積極的関与がそれである。

第一次世界大戦直後にイギリスは、米・日・仏・英の第二次四国国際借款団の結成で、アメリカ合衆国とともに主導権を発揮し、列強が協調して中国政府に借款を供与する体制を整えた。その中心的役割を演じたのが、香港上海銀行のロンドン支配人を務めた国際金融界の有力者、前述のC・アディスであった。

国際借款団は、中国側の抵抗によって何ら実績をあげないまま休眠状態にあったが、日本を含む主要列強間の協調を通じて、中国に対する国際金融で「ゲームのルール」を設定する試みは、金融面において「構造的権力」の行使を意図していたということができる。ただし、第一次世界大戦前との相違は、アメリカ合衆国の銀行団との協調体制、その代表であるT・ラモントの意向に配慮せねばならない点であった。

一九三〇年代の中国通貨問題の深刻化が、イギリスにいっそうの影響力拡大の機会を与えた。一九三三年一二月に、アメリカ政府が銀買い上げ政策を発表して以降、銀価格の急激な上昇による中国からの銀の大量流出、デフレ、貿易・産業活動の停滞という事態が起こった。アメリカ政府の政策変更が混乱の原因になった点に注目しておきたい。現地の国民党政府は、三四年秋に、外国為替管理を強化するとともに、銀輸出税引き上げ・平衡税導入による銀価格操作を試みた。同時に中国政府は、英・米・日三国と通貨安定のための借款交渉をおこなった。

翌一九三五年二月、イギリス政府は、中国の財政・経済の困難打開のために列国協議を提案し、三月には金融・財政問題専門家の中国派遣を決定した。この決定にもとづいて、イギリス政府首席経済顧問のF・リース＝ロスが、九月に日本と中国を訪れた。

リース＝ロス使節団は、(1)満洲国を利用しての中国に対する日英共同借款、(2)銀本位制放棄とポンドにリンクした管理通貨制度導入を提案した。これは、中国のスターリング圏への包摂、満洲国承認、日英協調外交という、三つの政策目標を同時にめざした斬新な提案であった。軍事力の劣位を、金融力と外交力で補完しようとする、「構造的権力」イギリスの特徴を反映した政策である。結局、日本政府の拒否で共同借款構想は実現しなかったが、リース＝ロスは中国国民政府の幣制改革に協力することになった。

だが、中国現地では、リース＝ロスの訪中以前に、国民政府の前財政部長の宋子文《そうしぶん》、現部長の孔祥熙《こうしょうき》を中心に、アメリカ財政顧問団の支援を得て、中国独自の管理通貨制度への移行をめざす幣制改革案が作成されていた。一九三五年一一月三日に実施された幣制改革は、⑴管理通貨としての法幣の発行、⑵銀の国有化、⑶外国為替の無制限売買を規定した。イギリス政府は、直後に香港上海銀行など英系銀行に対して、法幣使用と銀引き渡しを命じて、改革への積極的な協力姿勢を明らかにした（図34）。

中国政府は英米両国の間で均衡をとりながら、巧みに幣制改革を成功させた。まずアメリカとの関係では、国有化された銀の大量売却をもちかけ、米国財務省との間で三次にわたる米中銀協定を結び、一九三七年七月までに総額一億ドルの銀売却に成功した。幣制改革成功の物質的条件は、このアメリカの協力によって与えられたといえる。アメリカ政府は、財務長官H・モーゲンソーを中心に、中国法幣を米ドルにリンクさせて、国民政府に対する金融面からの影響力を強化しようと試みていた。

他方で、イギリス政府も、中国法幣をポンドにリンクさせようと努めて、リース＝ロスもその目的を実現した、と主張した。中国政府は公式には、法幣とポンド、ドルいずれの通貨とのリンクも認めずに、改革の自主的性格を強調した。しかし、最近の研究（杉原薫「東アジアにおける工業化型通貨秩序の成立」秋田茂・籠谷直人編『一九三〇年代のアジア国際秩序』溪水社、二〇〇一年所収）により、幣制改革後の中国法幣の為替レートは、ポンドに対し切り下げられたまま安定的に推移したことが明らかになった。中国国民政府の公式声明にもかかわらず、法幣は当時の基軸通貨であったポンドに事実上リンクし、結果として中国はスターリング圏に「加入」した。法幣価値の安定と国際的信用は、英米両国それぞれの強みを中国側が巧みに利用するかたちで実現されたのである。

以上の経緯は、本来「協力者」であったはずの中国国民政府が自主性を維持できたことと、スターリング圏の広がりと開放性を示している。同時期の日本も、一九三二年以降、蔵相高橋是清の金融・財政政策を通じて、円の価値を切り下げたうえで、事実上、円をポンドにリンクさせていた。中国幣制改革の成功により、東アジアには国際基軸通貨ポンドに対する「通貨切り下げ圏」が出現した。一九三〇年代のスターリング圏は、非帝国地域の日本と中国を同時に包摂して拡大したのである。

図34　ロンドン経済会議における宋子文（1933年）　アメリカ留学の経験を持つ国際派の政治家で、南京国民政府で財政部長（1928－33）、中央銀行総裁を歴任。蔣介石夫人の宋美齢は妹で、親英米政策を追求した

以上の事例に見られるように、戦間期のイギリスは、シティの金融・サーヴィス利害を基盤として依然として隠然たる影響力を行使できた「構造的権力」として、国際政治経済秩序の維持に不可欠な存在であった。

3　脱植民地化の進展とスターリング圏

第二次世界大戦と帝国——アメリカの支援

帝国支配の終焉《しゅうえん》、脱植民地化を加速化したのが第二次世界大戦である。

イギリスにとって第二次世界大戦は、反ファシズムの戦いであるとともに、帝国防衛の戦争であった。だが、基軸通貨ポンドの国際的信認を確保する必要から、財政均衡主義（赤字予算の回避）を採用し、再軍備が遅れていた。そのため、第二次世界大戦でのイギリスは、アメリカへの大幅な軍事的・経済的依存（総額二七〇億ドルの戦時借款による支援）と、第一次世界大戦時と同様に、イギリス帝国諸地域からの戦争協力によって、大戦と戦時体制を乗り切った。

ただし、アメリカからの支援を取り付けるに際して、イギリスはアメリカの反植民地主義の伝統を無視できなかった。たとえば、一九四一年八月に、米大統領F・ローズヴェルトは、ニューファンドランド沖での英米首脳会談で、英首相W・チャーチルの抵抗を押し切り、あらゆる国民に対する民族自決を認め、ファシズムだけでなく、植民地主義も批判する「大西洋憲章」を発表した。チャーチルは下院で演説し、大西洋憲章はインド、ビルマなどのイギリス帝国諸地域には適用されない、とあえて弁明している。またアメリカは、戦時援助（Lend Lease）の供与の条件として、イギリス帝国の特恵体制を戦後廃棄して、自由貿易体制を導入することを要求した。アメリカは戦後のヘゲモニー（覇権）の移行を意識して、植民地主義、帝国支配を否定した独自の理念を提示したのである。

帝国諸地域からの戦争協力が得られたなかで、ドミニオンの一国アイルランドは、中立を貫いた。内戦後の一九三二年に政権についたデ＝ヴァレラは、三七年の国民投票で採択した新憲法で、国名をゲール語の「エール」に変更し、イギリス国王への忠誠宣言も撤廃して、事実上、アイルランドは共和国になった。エール共和国は、戦後の四九年には英領コモンウェルスからも脱退して、自主独立路線を追求した。三〇〇年を超える「帝国の軛《くびき》」から、ついに離脱したのである。

戦争前半の戦局は、帝国防衛にとって圧倒的に不利であった。一九四一年一二月の太平洋戦争の勃発により、わずか数か月で東南アジアのイギリス帝国は崩壊した。とくに、四二年二月のシンガポールの陥落は、「帝国史上もっとも壊滅的で最悪の屈服」（チャーチル）となり、アジアにおけるイギリスの権威は失墜した。日本軍はさらにビルマを攻略、オーストラリア北端のダーウィンを空爆して、英領インド国境に迫った。この軍事的脅威に直面して、オーストラリアとニュージーランドは、防衛・安全保障面でアメリカへの依存を強めた。

第一次世界大戦時と同様に、帝国からの最大の戦争協力は、英領インドから得られた。一九三九年から四六年までに、イギリス政府は、主として海外に派兵されたインド軍や労働者、計二一五万名の戦時動員に対して、総額一三億四三〇〇万ポンドを支出することになった。ドミニオン諸国のカナダの七八万名、オーストラリアの六八万名、ニュージーランドの一五万七〇〇〇名、南アフリカの一四万名と比べても、インドの戦時協力は格段に大規模な動員態勢であった。

インド軍は主に、東南アジアと中東方面の戦線に動員された。一九三九年までに、「東方の海上に浮かぶイギリスの兵舎」としての、帝国防衛における一九世紀的なインドの役割は完全に復活したのである。

ただし、その背後の経費負担の点で、事情は根本的に異なっていた。一九三九年一一月の英印防衛費協定によると、インド政庁は、平時の通常経費相当額と、純粋なインド利害の防衛にかかわるすべての戦時支出を負担するのに対して、イギリス本国政府は、残りの全経費を負担するとされた。インド軍の近代化や、インドにおける戦時経済向けの増産体制整備に必要な諸経費も、本国政府が全面的に負担した。この協定締結に対して、チャーチルは懸念を示したが、インド政庁の戦時協力を得るためには不可欠な措置として、最終的には容認したのである。

この一九三九年の防衛費協定は、英印間の債務・債権関係を劇的に逆転させることになった。インド軍の海外派兵を含めたインドの戦時協力は、在ロンドン「スターリング残高」の蓄積を通じて、インドを債権国の立場に立たせることになったのである。

インド・パキスタンの分離独立

戦後直後の一九四七年八月のインド・パキスタンの分離独立は、周囲のアジア諸地域における脱植民地化の進展、政治的ナショナリズムの高揚をもたらした（図35）。

戦争終結から二年という非常に早い時期での両国の政治的独立の容認、イギリス側が「権力の移譲」（transfer of power）と呼んだ政治的変動の背後には、南アジアにおける戦時からのナショナリズム運動の高まりがあった。戦争に反対した国民会議派が展開した反英闘争「インドを立ち去れ」（クウィット・インディア）運動は、その典型である。

それに加えて、イギリス本国側にも権力の委譲を急がざるをえない、いくつかの要因があった。その一つが、帝国の軍事力であったインド軍に対する統制力の喪失である。

図35　インド独立記念式典　1947年8月14－15日の深夜、ニューデリーの総督府において最後のインド総督マウントバッテンから統治権の委譲を受けるインド首相J・ネルー

第二次世界大戦直後に、インド軍は国際秩序の復興にも利用された。日本が降伏した戦後、東南アジア地域でヨーロッパの旧宗主国の植民地支配体制を復活させるために、連合国東南アジア方面軍司令部の指令により、インド軍は、仏領インドシナと蘭領東インドの「再占領」に三〇歩兵大隊が投入された。一九四六年九月初めの時点で、海外に駐留していたインド軍は、総計二七万四九〇〇名にのぼった。

旧欧米植民地を再占領するためにインド軍を動員したことに対して、一九四六年初めのインド立法議会での討議では強い批判がなされた。インド暫定政府の指導者J・ネルーは、一貫して海外駐留インド軍の早期撤退を要求し、とくにビルマ駐留インド軍の治安維持目的での使用に強硬に反対した。その結果、同年一一月末までにインド軍は全軍、東南アジア地域から撤退した。

さらに、イギリスに衝撃を与えたのは、インド国民軍（Indian National Army）への支持と、一九四六年二月のボンベイにおけるインド海軍の反乱事件である。

インド国民軍は、日本軍部の協力を得て、国民会議派急進派のＳ・Ｃ・ボースが、投降したインド軍を再編した軍隊であった。ボースは一九四三年一〇月、日本政府の承認のもとで、インド臨時政府をシンガポールで樹立し、その首班と五万名のインド国民軍の司令官を務めた。インド臨時政府は、東南アジア在住のインド系住民（印僑）の支持を確保し、投獄されたインド現地の会議派指導者に代わって、インド独立運動の主導権を握ろうとした。四五年一一月、イギリスは、復員した国民軍将校を反逆罪で軍事裁判にかけようとしたが、猛烈な反対運動のため、裁判自体を断念せざるをえなかった。七八隻の軍艦と約二万名の水兵が決起した四六年のインド海軍の反乱は、さらに衝撃的であった。

戦後のイギリスは、依然としてインド軍に代表されるインドの軍事力に依存して、帝国＝コモンウェルス体制の再建をはかろうとしていた。しかし、その前提が、インド軍に対する統制力の弱体化と、ナショナリスト主導の暫定政府側の批判によって崩れると、南アジアにおける脱植民地化は不可避となった。

インド・パキスタンのスターリング残高

南アジアの脱植民地化を加速したもう一つの重要な要因が、インド・パキスタン両国のスターリング残高の累増と、英印間の債務・債権関係の逆転であった。それは、「構造的権力」としてのイギリスの経済構造面、とくにシティの金融・サーヴィス利害に関係した。

前述のようにイギリスは、一九三九年の英印防衛費協定によって、インド軍の海外派兵費用を負担した。その額は四六年までに一三億四三〇〇万ポンドに達した。ただし、その金額が直接インド側に支払われたわけではなく、実際には、インド準備銀行のロンドン残高（スターリング残高）に、イギリス大蔵省証券として蓄積されたのである。

これは事実上、イギリスにとっては、「ツケ」払いによる軍需物資の調達やインド軍兵士への給与支払いであり、現地のインド政庁とインド準備銀行は、大量のルピー紙幣を増刷してその経費をまかなった。その結果、インドでは猛烈なインフレ現象が起こり、物価が高騰した。戦前の英領インドは、本国に対して約三億五〇〇〇万ポンドの債務を負っていたが、戦後は一転して約一四億ポンドの債権を持つにいたった。

この債務・債権関係逆転の最大の要因が、インド軍の海外派兵経費であった。英印財務関係は、早くも一九四二年七月に逆転し、インド側の債権が急増していった。ロンドンの財政当局はこの趨勢に懸念を示していたが、スターリング残高が本格的な問題になったのは、四五年秋におこなわれた、イギリスの対米借款交渉の席上であった。アメリカ側は、戦後借款供与の見返りとして、四七年七月からのポンドの兌換性回復（米ドルとの自由な交換）と、スターリング残高の縮小を求めた。

しかし実際には、翌一九四六年のイギリスの国際収支危機によって、ポンドの兌換性回復はなされないまま、スターリング残高は「凍結」されて封鎖勘定とされ、その自由な引き出しと米ドルとの交換は事実上禁止されたのである。

この微妙な時期に、スターリング残高の取り扱いをめぐって、イギリス本国とスターリング圏の関係各国・諸地域との間で交渉がおこなわれ、多くの二国間協定が締結された。英印間でも、一九四七年二月から五二年二月まで、合計六回にわたって、政治的独立（脱植民地化）をめぐる交渉と並行して複雑な交渉がおこなわれた。これはいわば、イギリスが多額の借金返済の分割払いを求めた交渉であった。

イギリスと印パ両国の本格的な交渉は、一九四八年の夏から開始され、三年間有効の協定締結が模索された。印パ両国は、スターリング残高から、イギリス支配の資産継承の代価として一億ポンド、旧官僚・軍人への年金支給のために一億七〇〇〇万ポンドをイギリスに支払った。その結果、スターリング残高は、両国の分離独立後、インドが九億六〇〇〇万ポンド、パキスタンが一億七〇〇〇万ポンドを継承した。そのうえで、インドには年間六〇〇〇万ポンドの引き出しと一五〇〇万ポンド相当額の米ドルの割り当てが、パキスタンは年間一〇〇〇万ポンドの引き出しと五〇〇万ポンド相当額の米ドルの割り当てが認められた。

しかし、翌一九四九年春のインドの国際収支危機のため、同年夏に再交渉がおこなわれた。その結果、インドは封鎖勘定より三年間にわたって、年間五〇〇〇万ポンドの引き出しを認められ、スターリング圏の米ドル・プール制度（後述）に再加入した。この点では、インドのコモンウェルスへの残留問題と同様な妥協的解決策がとられたのである。さらに、四九年九月のポンド切り下げにより、イギリスにとって財務状況は好転した。五二年二月に結ばれた最後の英印協定（五七年まで有効）では、インド政府がロンドンで三億一〇〇〇万ポンドのスターリング残高を持つことが確認され、毎年三五〇〇万ポンドの引き出しを認めることで合意した。

このスターリング残高問題は、次の三つの事実を明らかにしてくれる。第一に、独立直前の英領インド（のちの継承国家インド・パキスタン）は、経済的には、本国イギリスとスターリング圏にとって、資産から負債・重荷に転換していた。第二に、イギリス本国が債務決済手段として米ドルを確保するうえで、インドは攪乱《かくらん》要因になり、本国の国際収支に対する短期的な悪影響を考慮しながら、スターリング残高の凍結・封鎖をめぐる交渉がおこなわれた。第三に、戦後復興の過程で、イギリスからのインドへの資本財（機械）輸出は、米ドル獲得の機会を減らすものとして、本国経済にはマイナスに機能した。

スターリング残高の累増によって、英印経済関係は根本的に変化し、イギリスにとって南アジア両国の経済的重要性は大幅に低下した。この点で、経済的側面からも、南アジアの脱植民地化は不可避となったのである。

インドのコモンウェルス残留とその変容

インドの政策と動向は、帝国＝コモンウェルス体制の変容をもたらした。

インドのコモンウェルス残留問題は、一九四七年八月に政治的独立を達成したのちに、新たな国制の枠組みであるインド憲法を審議し制定する過程で浮上した。独立した共和制を志向するインド連邦が、国王（王室）への忠誠を加盟の必要条件とする現行の帝国＝コモンウェルス体制にとどまるのが可能かどうかが最大の論点になった。

インドのコモンウェルス残留の方向性は、一九四八年一〇月にロンドンで開催されたコモンウェルス首脳会議で大枠が決まった。しかし、最終的な残留の決定は、翌四九年四月末にふたたびロンドンで開かれたコモンウェルス首脳会議でなされた。二回のコモンウェルス首脳会議の間、イギリス政府は、インドをコモンウェルスの枠組みに引き止めるための条件整備に努めた。すなわち、四九年一月七日から四月二〇日まで、コモンウェルス関係内閣委員会を組織して、計一九回にわたりインドがコモンウェルスに残留することを可能にする諸条件の検討をおこなった。

委員会の議論は、インド政府がコモンウェルスに残留することを前提として、(1)「英領コモンウェルス」(The British Commonwealth of Nations) の名称変更、(2)国王への忠誠条項の撤廃、(3)「コモンウェルス市民権」(Commonwealth citizenship) の有効性、をめぐって展開された。

このうち、コモンウェルス市民権は、一九四八年イギリス国籍法の制定にともない創出された概念であり、旧帝国支配諸地域の住民が有した「イギリス帝国臣民」(British imperial subjects) の資格と機能を継承していた。白人が主体となったオーストラリア、カナダ等のコモンウェルス(=ドミニオン)諸国では一九三一年のウェストミンスター憲章以来、独自の市民権を決めることが可能であったが、イギリス本国では四八年国籍法でも明確な市民権が規定されず、植民地からのヒトの移動はとくに制限されていなかった。新たに独立したインド政府は、この旧来からの「特権」を維持することを重視し、コモンウェルス市民権の保持を強調したのである。最終的な決断は、四九年四月末のコモンウェルス首脳会議での政治的決断に委ねられた。

こうした公式の政策議論と並行して、一九四八年三―四月に、インド憲法草案がインド立法議会で審議される過程で、J・ネルーと英労働党政権の首相C・アトリーが、コモンウェルス問題をめぐり書簡の交換をおこなっている。

アトリーは、南アジア諸国の独立により、コモンウェルスが現実には The Commonwealth of British and Asiatic nations に変わったことを認め、名称の変更は不可避であるが、コモンウェルスの実態（現実）がそのまま続くことを望んだ。その際、国王への忠誠条項に関して、共和国を志向するインド側の反応を探った。

それに対して、ネルーは一九四八年四月一八日の返信で、(1)イギリスおよびコモンウェルス諸国とインドの提携は緊密かつ親密であり、真の友情・協力関係を維持すべきこと、(2)インド憲法は独立した共和国を志向しており、対英関係と対コモンウェルス関係は別々に考察されること、(3)コモンウェルス問題は、できるかぎり冷静かつ客観的に「過去の重い遺産と関係なく」考慮できるように、決定を意図的に遅らせてきたこと、以上の三点を強調した。過去のイギリスによる植民地主義、帝国支配と切り離して、コモンウェルス諸国との関係を冷静に客観視しようとする、現実主義者ネルーの姿勢を明瞭に読み取ることができる。ネルーは、コモンウェルス諸国との現行の実務関係を維持し、コモンウェルスの枠組みを通じて、英米両国の政策に間接的に影響力を行使することを望んだのである。

インドが共和国としてコモンウェルスへの残留を決断した結果、国王への忠誠条項が撤廃された。同時に名称も「英領」を削除して、単なる「コモンウェルス」（The Commonwealth of Nations）に変更された。

この決定より約二週間前に、実質的に一九三七年からコモンウェルスからの離脱をはかってきたアイルランド（エール共和国）は、コモンウェルスから正式に脱退した。インドとアイルランドの政策決定が、コモンウェルスの性格と構成を変える引き金になった。逆に、インドの残留により、これ以降政治的独立を望むアジア・アフリカ諸国は、選択する政体にかかわらず、独立後もコモンウェルスにとどまることが容易になった。イギリスにとっても、国際的な影響力を温存し行使する機構として、コモンウェルスの価値は増大したのである。

ドル不足とスターリング圏の再評価

第二次世界大戦後のアトリー労働党政権が、「ゆりかごから墓場まで」と高く評価される、社会福祉政策・福祉国家の構築を目標として掲げ、完全雇用政策とともに、大きな成果をあげてきたことは、よく知られている。だが、戦後直後のイギリスは、輸出の不振と経済復興のための輸入拡大により、恒常的な「ドル不足」と国際収支の赤字に直面していた。したがって、アメリカ、カナダ両国からの戦後借款や、前述のスターリング残高凍結交渉を通じて、厳しい国内の金融・財政状況の緩和をはかった。

こうした戦後のドル不足のもとで米ドルの稼ぎ手として、英領マラヤ（現マレーシア、シンガポール）の天然ゴムや錫、西アフリカ（ナイジェリア、ゴールドコースト〔現ガーナ〕）のパームオイルやココアなど、従属植民地からの第一次産品輸出と、スターリング圏の経済的価値が、あらためて重視された。スターリング圏は、米ドルを使用せずに資材や食糧・原料を調達できる経済圏として機能していた。戦後に為替管理の統制が解除されることはなく、逆に強化されたのである。

海外の植民地がアメリカへの第一次産品輸出で稼いだ米ドルは、ロンドンの米ドル・プール制度で集中的に共同管理された。植民地現地の事情はほとんど考慮されず、本国イギリスの金融事情が最優先されて、本国の利益になるようにプールされた米ドルが恣意的に使われた。これは、「西アフリカの農民やマラヤのゴムプランテーション労働者、オーストラリアの牧羊業者の稼ぎで、本国の労働者階級の福祉が保証される」という事態を生み出した。戦後は、イギリスにとって植民地の経済的価値があらためて見直され、一時的に経済的搾取が強化され、イギリス本国の経済復興に大きく寄与した時期でもあった。

たとえば、戦後の帝国＝コモンウェルス体制で、東南アジアの英領マラヤは、南アジアの諸国が一九四七－四八年に独立したのちも、五七年まで植民地として維持された。五〇年代前半のイギリスにとって、マラヤはまさに米ドルを稼ぐ「ドル箱」であった。したがって、イギリスはマラヤで、日本敗北後にいち早く植民地行政を復活させ、四七年にマラヤ共産党が植民地主義を批判して蜂起すると、翌四八年六月にマラヤ非常事態宣言を発し、大規模な軍隊を派遣してその鎮圧に努めた。

同時に、植民地の経済開発が初めて真剣に議論すべき課題となり、コロンボ・プランのような経済開発援助計画が打ち出された。

コロンボ・プランとコモンウェルス、日本

コロンボ・プランは、一九五〇年一月にセイロン（現スリランカ）で開催されたコモンウェルス外相会議における問題提起を契機に立案された、イギリスとコモンウェルス諸国を中心とする、南アジア・東南アジア諸地域に対する経済援助計画である。

この計画は、コモンウェルス諸国、非コモンウェルス諸国を問わず、アジアにおけるほとんどの国に対する経済開発援助計画として機能し、共産主義の拡大に対する防御策であったという点で「アジア版マーシャル・プラン」であった。しかし、アジアの貧困救済のための自立的経済開発をめざして、アジア側の主体性に力点を置いたという点でユニークである。オーストラリア外相K・スペンダーとともに、計画の立ち上げに際して指導力を発揮したのがインド首相J・ネルーであった。

コロンボ・プランは、経済開発援助の実施方法についても、常設の管理運営機関は存在せず、経済開発への資金援助（capital aid）と技術協力（technical assistance）の二本柱で構成さ

れた。一般的な原則および方針を検討する諮問会議と、技術支援を専門とする技術協力審議会がその中心的役割を果たした。具体的援助が、援助国および被援助国との二国間関係によって実施されたことも大きな特徴であった。

この計画の実施にあたって、資金面では、インドがロンドンに保有していた在外資産であるスターリング残高の活用が期待された。しかし、当初からコモンウェルス諸国のみの拠出では開発資金を調達できず、アメリカ合衆国や域外国（非コモンウェルス諸国）からの支援を必要とした。そのため、当初から財源とアジア諸国の経済開発への関与の仕方が大きな問題となった。このコロンボ・プランは、イギリスのコモンウェルス活用政策の一環としてスタートしたが、しだいに参加国を域外国へと拡大したことで、アジア全域を対象とした経済援助計画へと変容していくのである。

その過程で、一九五〇年代の戦後日本の経済復興は、英領マラヤ、ビルマ、パキスタンのような東南アジア・南アジアのスターリング圏諸国に対して大きな恩恵を与えた。日本がビルマ産の米、パキスタン産の原棉、マラヤ産の鉄鉱石など、第一次産品を購入したことにより、これらスターリング圏諸国の主要輸出商品に不可欠の輸出市場が確保された。また、東南アジア・南アジア諸国に対する日本の消費財輸出、とくに綿製品の輸出は、米ドル以外での決済が可能な製品供給源であり、これらの諸国の貧困な現地住民に対して安価な生活必需品を確保するという、住民福祉政策の実行にとっても重要であった。

他方で、日本にとっても、アジアのスターリング圏諸国からの食糧・原料の輸入は、ドル不足のもとで、第一次産品の輸入先を多角化するために不可欠であった。したがって、アジアのスターリング圏諸国と戦後日本の経済復興は、モノの取引、貿易レヴェルで相互補完的であったということができる。

以上のように、スターリング圏が東アジア諸国の経済発展あるいは復興を支援する役割を果たしたという意味において、一九五〇年代の東アジア国際経済秩序は、戦前の一九三〇年代の国際経済秩序と類似し共通する側面を有していた。

経済的に復興した日本は一九五四年一〇月に、援助供与国としてコロンボ・プランへの加入を認められた。日本にとっても、五六年の国連加盟に先立つ、本格的な国際機構への復帰であった。

4 パクス・アメリカーナと帝国の終焉

スエズ戦争――脱植民地化と冷戦の論理の交錯

一九四〇年代後半の冷戦の勃発は、アメリカの植民地主義批判を鈍らせ、イギリスやフランスの植民地帝国は、共産主義勢力の浸透を阻止する防波堤の役割を期待されることになった。その主要な舞台になったのが、一九五〇年代後半の中東と、六〇年代のアフリカであった。

二〇世紀の中東におけるイギリス帝国は、一九二〇年代前半の、国際連盟の委任統治をへて、二〇年代後半から三〇年代にかけて、現地人エリート層との妥協を通じて影響力を行使する「間接統治」（indirect rule）体制へと移行した。それは一九二二年の保護国エジプトの「独立」承認に見られるように、現地政府を容認し、現地行政官による管理と、条約を通じた統制の維持を目的とした。イギリスは、インド内部の藩王国の藩王や、西アフリカの伝統的首長の権威を利用した間接統治の実績を、中東地域に持ち込んだのである。この間接統治も、非公式帝国支配の一つの類型であった。

具体的な手段としては、軍事力のなかでも、戦間期に発展した空軍力（王立空軍）が活用され、効率性と経済性（安価な支配）が追求された。

中東においてとくにイギリスが重視したのが、石油資源の確保とスエズ運河であった。イラク、クウェート、イランでの影響力を行使した石油利権の獲得と、中東における軍事力展開の要の位置を占めたスエズ運河地帯（スエズ運河両岸の排他的支配地域）の確保が、戦略的課題になった。一九四七年にアラブ＝イスラエル間の民族紛争の激化によって、パレスティナからの撤退を余儀なくされ、その直後にインド・パキスタン両国の独立を認めたため、第二次世界大戦後のイギリスにとって、中東の非公式帝国を維持することは、米ソに次ぐ第三の大国としての地位を保ち、世界的な影響力を行使するために、必要不可欠な軍事戦略となった。

だが、一九五〇年代に、イギリスは相次いで中東における民族運動（ナショナリズム）の高揚に直面し、戦略の変更・修正を迫られた。まずイランでは一九五一年三月、急進民族主義者のM・モサデグが首相に就任し、同年六月にアングロ・イラニアン石油会社を接収して、石油の国有化を断行した。労働党のアトリーは、軍事的圧力の行使に対するアメリカの消極的姿勢が明らかになるなかで、当時世界最大のアバダン精油所を含めて、イランからの撤退を余儀なくされた。背後には、イランの石油利権をめぐる英米石油資本の角逐があった。

次いで直面したのが、エジプトの急進的民族主義である。一九五二年の自由将校団の革命によって、非公式帝国の基盤であった親英的な協力者政権が打倒され、アラブ急進派のJ・ナセルが実権を握った。危機感を抱いたイギリス保守党チャーチル内閣は、五四年一〇月にスエズ協定を結び、五六年までにスエズ運河地帯から撤退することを条件に（ただし、有事には軍事力を再展開する権利を留保）、アラブ急進派との妥協と懐柔をはかった。

ナセルは経済開発（工業化のための電源開発）を推進するために、西側諸国の資金援助を得て、ナイル川上流にアスワン＝ハイダムの建設を計画した。しかし、英米両国は一九五六年、エジプトがソ連圏のチェコスロバキアから武器を購入したことを理由に、資金援助を拒絶した。経済的脱植民地化を追求したナセルの政策は、「冷戦の論理」に押しつぶされた。

窮地に追い込まれたナセルは、一九五六年七月、スエズ運河の国有化を宣言し、ダム建設資金の確保をはかった。反発したイギリス首相A・イーデンは、秘密裏にフランスとイスラエルと共謀して、武力によるナセル打倒を企て、五六年一一月初めに、運河北端のポート・サイードを占領した。このイーデンの強硬策、一九世紀的な砲艦外交は、中東におけるイギリスの威信喪失を軍事力によって打開する非公式帝国支配継続の意思表明であった。

イーデンの誤算は、アメリカ政府および国際世論の強烈な批判に直面したことである。米アイゼンハワー政権のJ・F・ダレス国務長官は、冷戦体制のなかで、アラブ民族主義全体を敵にまわしてソ連を利する、英仏の時代錯誤的な軍事進攻に真っ向から反対した。冷戦の論理で脱植民地化を抑え込む軍事行動を正当化できると想定していた、イーデンの軍事戦略はアメリカの支持を失った。

アメリカ政府は、即時停戦と撤退を求めて、英仏に外交的圧力をかけた。また、国連やコモンウェルスでもイギリスは強く批判され（コモンウェルスで支持を表明したのは、オーストラリアとニュージーランドのみ）、インドのネルーは批判の先頭に立った。さらにスエズ運河が閉鎖され、中東からの石油の供給が止まるとともに、イギリスは国際金融市場での大規模なポンド売りにより大量の外貨準備を失い、ポンド危機に直面した。この通貨危機に対して、アメリカはまったく無関心であった。

こうした国際的孤立と金融危機に直面して、イギリス政府は一九五六年一一月七日、停戦を受諾して撤兵を余儀なくされた。スエズ戦争の事実上の敗北は、イギリスの威信を大きく失墜させた。

戦後の帝国支配への決定的打撃は、このスエズ戦争の挫折《ざせつ》によりもたらされた。アメリカが重視した冷戦の論理と、イギリスが掲げた脱植民地化に抵抗する論理が交錯し、一九五〇年代中葉の冷戦体制のもとでは、新たなヘゲモニー国家アメリカの世界戦略、冷戦の論理が貫徹されたのである。

イーデンは責任をとって辞任し、後任の首相には蔵相のH・マクミランが就任した。マクミランは対米関係の修復に全力を注いだ。彼はイギリスの軍事的・経済的脆弱《ぜいじゃく》性を認め、アメリカのヘゲモニーのもとでジュニア・パートナーとしての生き残りをはかった。

一九五〇年代後半以降、イギリスは帝国＝コモンウェルスの脱植民地化に対して、冷戦体制のもとで穏健なナショナリズム勢力を育成し、彼らに政治権力を移譲する政策に本格的に着手した。政治的独立後も、一定の影響力を保持する戦略が採用された。R・ロビンソンと

R・ルイスによれば、英米両国の協調を通じて脱植民地化の過程を管理する「脱植民地化の帝国主義」(imperialism of decolonization) 政策がとられたのである。

アフリカ植民地の独立と経済的自立の模索

マクミランは首相就任直後の一九五七年に、植民地政策委員会に対して、植民地統治のバランスシート（貸借対照表）の作成を命じた。その調査の結論は、植民地維持のコストが利益にほぼ匹敵する、というものであった。植民地の経済的コストが、本国にとって重荷であることが明らかになったのである。五七年には、前内閣の既定方針に従い、東南アジアのマラヤと西アフリカのガーナ（旧ゴールドコースト）が独立した。マラヤの脱植民地化では、新旧二つのヘゲモニー国家である英米両国の利害の一致が見られた。

一九六〇年一月に、アフリカを訪問したマクミランは、現地でのアフリカ人の民族意識（ナショナリズム）の高揚を実感し、南アフリカのケープタウンで、「この大陸に吹いている変化の風」を認める声明を発した。この一九六〇年は、サハラ以南の仏領植民地がいっせいに独立し、英領でもナイジェリアと東地中海の戦略拠点キプロスが独立し、「アフリカの年」と呼ばれた。引き続いて、六四年までにアフリカ（シエラレオネ、タンザニア、ウガンダ、ケニアなど）、西インド（ジャマイカ、トリニダード・トバゴなど）、太平洋諸島（西サモア）など、一三の英領植民地が相次いで独立し、脱植民地化の流れは加速した。

政治的独立を達成したアフリカの国々の多くは、植民地時代の従属的な経済構造、特定の第一次産品の輸出に特化したモノカルチャー経済から抜け出すことができず、旧宗主国など先進国との経済格差が拡大した。この問題は「南北問題」と呼ばれ、一九五〇年代末から国際社会の重要な課題として認識されるようになった。この南北問題に対処するために、一九六四年に国連貿易開発会議（UNCTAD）が創設された。

南北問題の解決策は、南側の主要輸出品である第一次産品の増産と価格の安定や、一八世紀末のイギリス産業革命と同様に、先進国からの輸入品を国産化する「輸入代替工業化」戦略に求められた。しかし、この輸入代替工業化は、アフリカやラテンアメリカの新興国ではあまり成功しなかった。もともと国内市場が狭く、購買力（消費）にも限界があり、第一次産品価格も低迷したため、内向きの輸入代替工業化は南北格差をいっそう拡大させた。

さらに、旧宗主国や国際機関（国連、世界銀行など）からの経済援助（借款）も、アフリカ諸国においては、国内の利害対立や民族紛争などによる政府の統治機能（ガバナンス）の低下のため有効に使われず、累積債務として逆に南側諸国の負担を増すことになった。コモンウェルス諸国による支援も、アジアにおけるコロンボ・プランの場合とは異なり、大きな成果を上げることはできなかった。アフリカ諸国の経済不振、貧困問題は、これ以降、深刻さを増していくことになった。

こうした文脈で、マクミラン政権はヨーロッパ統合の流れに加わるべく、一九六一年八月にヨーロッパ経済共同体（EEC）への加盟申請をおこなった。帝国＝コモンウェルスよりも、ヨーロッパを重視する姿勢を鮮明にしたのである。

「スエズ以東」からの撤退と東アジアの経済発展

アジア諸地域におけるイギリスのプレゼンスは、一九五六年末のスエズ危機のあとでも、コロンボ・プランを通じた経済・技術援助と、通貨面でのスターリング圏の存在によって、一九五〇年代末から六〇年代初頭にかけて依然として維持されていた。

しかし、一九五〇年代末になると、コロンボ・プランは開発援助資金の不足から、安価な技術支援に重点が移った。この変化には、インドのスターリング残高が一九五六－五七年にほとんど枯渇したこと、コロンボ・プランに代わるアメリカや世界銀行を主体とする新たな大規模な経済援助計画「インド援助コンソーシアム」が登場したことも影響していた。さらに、国際通貨としてのポンドの弱体化によって、イギリスのプレゼンスを支えてきたこの金融的基盤が漸進的に掘り崩されていくことになる。

だが、年に一回開催される協議委員会と二国間主義をベースとして運営されたコロンボ・

プランのゆるやかな組織体、さらに、それを直接・間接的にリードしアジアのコモンウェルス諸国の指導者を自認したインドのネルー外交の展開によって、一九五〇年代末の南アジア・東南アジア地域において、漸進《ぜんしん》的な「開放的地域主義」(open regionalism) の萌芽が形成された。

一九六〇年代のイギリス国際収支の悪化、ポンドの弱体化は、帝国政策にも大きく影響した。米ドルに次ぐ二番目の国際通貨としてのポンドの地位は、アメリカの金融的支援(ポンド買い)により、かろうじて支えられていた。米ドルもまた、六〇年代半ばのベトナム戦争への介入の本格化、財政赤字の拡大により問題を抱えていた。準基軸通貨ポンドの防衛は、アメリカの金融的ヘゲモニーを維持するためにも不可欠であった。

だがイギリスは、一九六七年一一月にポンド切り下げ(一ポンド二・八米ドルから二・四米ドルへ、一四・三%の切り下げ)に追い込まれた。それに続くデフレ政策と緊縮財政によって、海外の軍事基地への関与は大幅縮小を余儀なくされ、H・ウィルソン労働党政権は、翌六八年一月に、アデンからのイギリス軍の即時撤退、七一年末までに「スエズ以東」(シンガポールとマレーシア)から撤退することを表明した。ただし、香港の駐留軍は例外的に残されることになった。

この政策転換には、経済・金融危機の深刻化に加えて、一九六三年九月に新たに発足したマレーシア連邦とその隣国インドネシアの間の国境紛争に起因する武力衝突が終息に向かったことも影響していた。イギリスはマレーシアを支援して軍事介入をおこなったが、六五年の九・三〇事件（軍部クーデタ）によってインドネシアのスカルノは失脚した。「スエズ以東」に軍事力を展開する必然性は、香港を除いて消滅したのである。六五年にマレーシアから分離独立したシンガポールの首相リー・クアンユーにとって、このウィルソン政権の決定は、経済と安全保障の両面で国家の存続を危うくするため、衝撃的であったといわれる。

一九六〇－七〇年代の東アジア・東南アジアでは、日本が高度経済成長を達成して、アメリカに次ぐ経済大国として台頭した。同じ頃、西側自由主義陣営に属した他の諸国でも、冷戦体制とベトナム戦争が長期化するなかで、アメリカの寛大な軍事・経済援助（軍事ケインズ主義）や欧米日の多国籍企業の海外進出を積極的に利用しながら、工業化が始まった。韓国、台湾、香港、シンガポールは、経済開発至上主義をとる「開発主義」を採用し、積極的に先進国の多国籍企業を誘致し、輸出品を現地生産してアメリカや日本市場に輸出する「輸出志向型工業化」戦略を強力に推進した。

これらアジアの新興工業経済地域（Asian NIES）に、香港とシンガポールが含まれることに注目したい。というのも、両国は一九世紀からイギリスが建設した自由貿易港であり、イギリスにとって、自由貿易原理と金融・サーヴィス利害をアジアにおいて実現する、帝国の橋頭堡《きょうとうほ》であった。

一九六八年に「イギリスに見捨てられた」と嘆いたシンガポールのリー・クアンユーにとっても、イギリスが残した自由主義の伝統、英語教育を通じた人材（エリート）の育成、華僑・印僑を引き寄せた多角的な貿易ネットワークなどは、イギリスの撤退後もフルに活用できる「公共財」として機能した。彼自身も、ケンブリッジ大学を優秀な成績で卒業した弁護士であった。イギリス軍の撤退により空いた軍事施設は、新たなヘゲモニー国家であるアメリカ軍に提供できたし、多国籍企業の誘致にも転用可能であった。新旧二つのヘゲモニー国家の力を利用した国家建設、経済開発（工業化）は、彼にとって当然とるべき国家戦略であった。

一九八〇年代には、貿易・財政赤字により、アメリカが世界最大の債務国となった。一九八五年のプラザ合意後の急速な円高・ドル安により、日本の東アジア・東南アジアに対する海外投資は激増し、NIES諸国の対外投資も本格化した。その刺激を受けて、マレーシア、タイなどASEAN（一九六七年に結成）諸国の経済成長が加速化した。石油危機をいち早く脱却した日本を先頭に、東・東南アジア諸国が次々と経済成長する「東アジアの奇跡」（東アジアの経済的再興）が注目を浴びるようになった。この経済成長を通じて、香港とシンガポールの一人当たりGDPは旧宗主国イギリスのそれを上回り、豊かな社会が出現した。

フォークランド戦争

「スエズ以東」からの撤退以降のイギリスは、一九七三年一月に念願のヨーロッパ共同体（EC）に加盟し、ヒトとモノの移動の両面で、ヨーロッパ大陸諸国との関係を強化していく。ロンドン・シティは石油危機以降、新たに中東の産油国からのオイルマネーを取り込み、ユーロダラー市場を拡張した。

こうしたなかで、一九八二年四月に勃発したアルゼンチンとのフォークランド戦争は、南大西洋の忘れられた植民地をめぐり国民の好戦的愛国心（ジンゴイズム）を再燃させた。フォークランド諸島をめぐるアルゼンチンとの争いは、一八三三年にイギリスが領有して以来、一世紀以上に及んでいた。イギリス外務省は当初、アルゼンチンの形式的主権を認めたうえで、イギリスが諸島を租借する方式で問題を解決する方針であった。

しかし、一九八二年四月初め、アルゼンチン軍はフォークランド諸島に武力侵攻して占領した。これに反発した保守党サッチャー政権は、南大西洋に大規模な艦隊を派遣して、武力による奪還をはかった。ハイテク兵器を駆使した戦争は、六月にイギリスの勝利に終わった。経済的価値の乏しい人口一八〇〇人ほどの島が、突然国民の注目の的となり、好戦論と愛国主義が噴出した。経済政策の失敗（デフレ政策による失業者の急増）により、国民の支持を失いつつあったサッチャーは、一気に人気を挽回《ばんかい》し、八三年の総選挙で勝利を収めた。一九世紀以来の帝国・植民地問題が一時的に復活し、政治的に利用された事例である。

香港返還――帝国の終焉

サッチャーはフォークランド戦争の勝利の余勢で、東アジアに残る植民地・香港の現状維持をはかろうとした。二〇世紀後半のイギリスにとって、香港の存在は、政治・外交、貿易、金融政策、いずれにおいても不可欠で、東アジアにおいて明確なプレゼンスを示すことを可能にした。

第二次世界大戦での日本の敗北直後に、イギリスは香港「回収」に着手し、同盟国であった中国国民党政権の返還要求を拒絶した。国共内戦の過程で、上海の中国人実業家（綿業資本）は共産党の支配を嫌って、資本と技術の香港への移転をはかった。

一九四九年一〇月に中華人民共和国が成立した直後の五〇年一月、イギリス政府は早々と共産党政権を承認した。中国側も、軍事力による香港回収は避け、香港の現状を維持して、西側陣営との貿易や人的交流の窓口にする外交戦略を採用した。こうして香港は、朝鮮戦争（一九五〇－五三年）にともなうアメリカの経済制裁実施にもかかわらず、冷戦体制下で中国本土と西側世界を結ぶ結節点になったのである。

香港は第2章で述べたように、一九世紀のアヘン戦争以降、上海、シンガポールとならんで、イギリスがアジアに持ち込んだ自由貿易体制の要の位置にあった。互市体制で発展した中国南部と東南アジア諸地域を結ぶ中国商人（華僑）による貿易ネットワークも、一九世紀後半以降、広東から香港に中心が移行した。一九－二〇世紀の転換期に形成されたアジア間貿易でも、香港は不可欠な拠点であった。

さらに香港は、スターリング圏のなかで、共通の為替管理が限定的かつ柔軟に適用された例外的地域であり、そのユニークな地位は「香港ギャップ」（Hong Kong Gap）と呼ばれていた。すなわち香港では、公式には他のスターリング地域と同様な為替管理がおこなわれたが、公定レートでの外国為替取引は、穀類・米・綿製品・人絹糸などの主要輸入品に限定されていた。それと同時並行的に、アジア間貿易の中継拠点として香港の外貨需要は旺盛であったため、香港ドルの価格が需給バランスで決まる自由為替市場が存在した。

この自由市場は、イギリス本国の為替管理当局（イングランド銀行）にとって、スターリング圏に対する為替管理体制の抜け穴として機能したが、香港の特殊な位置ゆえに事実上黙認されていた。C・シェンクによれば、「香港は、スターリング圏の厳格な為替管理とドル圏の相対的な交換性とのユニークな結節点であり、スターリングとドル両方の世界にまたがるこの地位が、香港の卓越性の重要な一因であった」。

戦後、日本と香港は、イギリス本国およびスターリング圏とは別に、香港ドルで取引可能な個別のオープン勘定支払協定を結び、香港側は当面年間二五〇万ドルの対日輸入ライセンスを認めていた。戦後の日本経済の復興にとって、中国、台湾、マカオなどの近隣諸地域と香港との中継貿易は重要であり、その中継機能は東南アジアの英領マラヤやインドネシア、タイもカバーしていた。

日本は香港向け輸出の貿易黒字をポンド（香港ドル）で獲得し、オープン勘定支払協定のドル条項と「香港ギャップ」（自由為替市場）を通じて、その獲得したポンドを米ドルに交換できた。この米ドルを活用して、日本はアメリカから原棉や機械類の資本財を輸入することが可能になった。こうしてオープン勘定支払協定のもとで、連合国による占領下の日本は、自国の経済的利益のために、香港のユニークな地位を利用することができたのである。これはイギリス側から見れば、「香港ギャップ」を通じたスターリング圏の米ドル・プール制度からの米ドル流出を意味したが、最終的に容認されてきた。

以上は、国際金融上の香港のユニークな地位を示す一例である。一九五〇年代後半からは、上海から逃避・流入した資本と技術が、香港現地の安価で優秀な労働力と結びついて、香港自体で消費財（綿製品）を中心とする労働集約的な工業化が始まった。六〇年代になるとアジアＮＩＥＳの一角を占める目覚ましい経済成長を実現した。その過程を通じて、六〇年代後半以降は、香港（貿易）と中東のクウェート（石油輸出）が稼いでロンドンのイングランド銀行に預託されるスターリング残高が、ポンドの国際通貨としての価値を支えるようになった。したがって、六〇年代中葉に、マレーシア、シンガポールが政治的に独立して以降、イギリスにとって香港は経済的にいっそう重要になった。「スエズ以東」からの撤退に際して香港守備隊が除外されたのも、以上のような歴史的背景があった。

図36　香港返還　英国の撤退式典特設会場で降ろされる英国旗（左）と香港旗（読売新聞社提供）

一九八二年九月に訪中したサッチャーは、以上のような直轄植民地としての香港の現状維持を試みた。しかし、中国政府の強硬な反対を受け、八四年の中英共同声明で、主権・統治権を一括して九七年六月末に返還することに同意した。その際、中国側は香港を特別行政区として、返還後も五〇年間、現状を維持する「一国二制度」論を提起し、合意を得た。一九八九年の中国の天安門事件以後、香港は中国の民主化運動を支援する基地として機能した。九二年一〇月には、最後の香港植民地総督として、保守党の大物政治家C・パッテンが赴任し、特別行政区基本法の枠内で、最大限の政治的民主化をおこない、イギリス統治の政治的遺産の温存に努めた。

一九九七年七月一日、最終的に香港は中国に返還され、一五五年に及んだアジアにおける植民地支配に終止符が打たれた（図36）。

残存する植民地——ディエゴガルシア島、ジブラルタル

しかし、現在でも、地中海入り口のジブラルタルやインド洋のディエゴガルシア島（英領インド洋地域）に加えて、カリブ海および大西洋の島嶼《とうしょ》など、一四か所の地域（国際的には認められていない英領南極地域を含む）がイギリス海外領土（British Overseas Territories）として存続する。いわば、未解決の植民地問題が残されている。

このうちジブラルタルは、スペイン継承戦争の講和条約である一七一三年のユトレヒト条約によって、スペインからイギリスが割譲を受けた直轄植民地である。地中海の入り口に位置する戦略上の要地であり、王立海軍の基地が置かれ、エンパイア・ルートの拠点として運

用されてきた。スペイン政府は一貫して、その返還を要求してきたが、両国の交渉が本格化するのは、スペインがフランコの死後に民主化され、北大西洋条約機構（NATO）とEUに加盟した一九八〇年代初めからであり、EU加盟国同士が領土紛争を抱える稀な例である。二〇〇二年に両国は、主権の共有化とジブラルタル住民の自治権を尊重することで基本的に合意し、ジブラルタルでは、ポンドとならんでユーロも通用する。しかし、その後の新たな展開はない。スペインは、ジブラルタルの対岸のモロッコ領北端に、ヨーロッパ勢力が最初（一四一五年）に獲得した植民地であるセウタを依然として保持している。EUで解決すべき残存する植民地問題として、今後の行方が注目される。

他方、ディエゴガルシア島は、モルディブの南、インド洋の中央部に位置する。本来、英領であるが、冷戦下の一九六六年に、この島をアメリカに貸与する協定が結ばれ、アメリカは空軍基地と軍需物資を保管する兵站基地を建設した。一九九一年の湾岸戦争、二〇〇一年の同時多発テロ（九・一一事件）後のアメリカ軍によるアフガニスタン攻撃、二〇〇三年のイラク戦争の際に、ディエゴガルシア島がアメリカ軍の攻撃基地として活用されたことは記憶に新しい。現代のヘゲモニー国家アメリカの軍事戦略に組み込まれたこの島が、イギリス海外領土の一部であることは、現代の英米関係を象徴している。

終章　グローバルヒストリーとイギリス帝国

本書では、イギリス帝国がたどった歴史を、一七世紀初頭から二一世紀の現代にいたるまで、アジア世界との関連を重視しながら考察してきた。最後に、新たな世界史を構想する過程の一つとして、イギリス帝国の歴史をあらためて位置づけてみたい。

グローバル化が急速に進展する現在、国境を越えてヒト・モノ・カネ・情報・技術・文化などが緊密に行き交い、ヨーロッパのEUにとどまらず、東アジア、アジア太平洋地域においても地域統合・地域共同体の形成の可能性が議論されるようになった。二〇一一年一一月のTPP（環太平洋経済連携協定）加入交渉の開始をめぐる一連の論争は、その一例であろう。

こうした現状を的確に理解するためには、従来の国民国家や国民経済を前提にした一国史的な歴史研究の枠組みでは不十分である。国境を越える広域史（regional history）、広域の諸地域相互の関係史（trans-regional history）など、新たな分析の枠組みを創出する必要がある。

その一つの実践例として、現在、世界中の歴史家や社会科学者が注目しているのが、グローバルヒストリー（global history）と呼ばれる歴史のとらえ方である。

グローバルヒストリーとは、地球的規模での諸地域の相互連関への考察を通じて、新たな世界史を構築しようとする試みである。そこでは、従来の一国史の枠組みを越えて、ユーラシアや南北アメリカなどの大陸規模、あるいは東アジア・海域アジアなど広域の地域（region）を考察の単位とする。⑴古代から現代までの諸文明の興亡、⑵明・清時代の中華帝国、ムガール帝国、オスマン帝国などの近世アジアの世界帝国や、ヨーロッパ諸国の海洋帝国など、帝国支配をめぐる諸問題、⑶華僑や印僑などのアジア商人のネットワークや、奴隷貿易・契約移民労働者・苦力《クーリー》に象徴される移民・労働力の移動（ディアスポラ）など、地域横断的（trans-regional）な諸問題、さらに、⑷ヨーロッパから新大陸への海外膨張にともなう植生・生態系・環境の変容など、生態学・環境史に関する諸問題、⑸近現代の国際政治経済秩序の形成と変容に関する諸問題などが、その主要な研究課題として探究・議論されている。

ところで、グローバルヒストリーを考えるうえでのキー概念は、この研究領域の第一人者であるイギリスのP・オブライエンが主張するように、「比較」と「関係性」である。

一方の「比較史」（comparative history）に関しては、欧米の学界だけでなく日本においても、第二次世界大戦後の戦後歴史学の展開や、斎藤修の比較経済史学の成果がある。他方で、グローバルヒストリーの考察にとって重要なのは、同時代の諸地域・諸国家間のヨコの関係性、つながり（リンク）を重視する歴史の見方、関係史（relational history）である。関係史的なアプローチがもっとも有効なのが、近世以降のグローバル化の進展にともなう地球的規模での国際政治経済秩序の形成・発展の過程、相互依存が深まっていく世界経済の諸問題を取り扱う場合である。本書では、グローバル化の歴史的起源を探究する課題を、グローバルヒストリー研究の一つの類型、重要な研究分野としたうえで、イギリス帝国の歴史を考察するにあたり、関係性を重視して、同時代的な諸地域のヨコのつながりを強調した。

現在では、近世以降のイギリスの歴史を「帝国」の歴史として考えるという見方は常識となった。しかしイギリスの影響力は、決して公式・非公式の両帝国だけに限定されていたわけではなかった。一九－二〇世紀の転換期のイギリスは、現代のアメリカ合衆国と同様に、帝国を越えて地球的規模での圧倒的な経済力と軍事力、文化的な影響力を行使したヘゲモニー国家であった。ヘゲモニー国家は、世界諸地域に多様な国際公共財を提供してきた。それらは、国際秩序における「ゲームのルール」の形成に直結しており、アジア国際秩序を考えるうえでも不可欠の構成要素であった。

このように考えると、一九世紀後半から二〇世紀前半のイギリスを中心とした国際秩序、パクス・ブリタニカは、公式帝国を合わせ持ったヘゲモニー国家によって支えられていたといえる。通常、ヘゲモニー国家は、近世までの世界帝国（アジアの中華帝国やムガール帝国、オスマン帝国など）と異なり、地球的規模での影響力の行使にともなうコストを削減するために、統治のための官僚組織や軍事力を必要とする公式帝国（植民地）を持たないのが理想的な形態であった。しかし、世紀転換期のイギリスの場合は、英領インドに代表される従属植民地を各地に保有したヘゲモニー国家であった点がユニークであり、現代のアメリカ合衆国のヘゲモニー（パクス・アメリカーナ）とは決定的に異なる構造を有していたのである。

本書は一国史的な歴史の見方を離れて、同時代的な歴史の展開、ヨコのつながりを重視するグローバルヒストリーの観点から、それぞれの諸地域がいかに相互に依存しながら一つの世界システム（世界経済）を形成してきたかを考察し、その過程での経済諸利害の相互補完性を強調した。

その結果、従来の歴史研究の方法やアプローチでは十分に解明しきれない、新たな課題や問題群にも言及することになった。たとえば、従来は別々に論じられてきた、貿易（モノ）と金融（カネ）の相互のつながりをどのように考えるのかという問題を、一九－二〇世紀の転換期の東アジア（日本）の工業化とロンドン・シティとの関連で論じた。また、一九世紀末からの英領インドのボンベイで見られたような、植民地支配（公式帝国）のもとで展開された「植民地工業化」を世界史の文脈で再評価する問題は、将来の検討課題として残されている。さらに、華僑・印僑のように、国家の枠を離れたトランスナショナルなアジア現地商人のネットワークとアジア地域間貿易の形成・発展との連関性の解明は、現在、日本の研究者によって急速に研究が進んでいるテーマである。

イギリスとインド二国間の植民地関係を重視する従来の諸研究では、英領インドの脱工業化・低開発化が主に議論され、ボンベイ産綿糸の躍進による中国綿糸市場でのアジア間競争の展開や、英領インドとその東側の東南アジア・東アジア諸地域との経済的つながりなどは、十分に検討されてこなかった。また、アジア間貿易の形成・発展に注目することで、アフリカやラテンアメリカ諸地域など、他の非ヨーロッパ諸地域と比較した場合の近現代アジア世界の相対的独自性が浮かび上がってくる。関係史の手法を組み込むことで、従来とはまったく異なるダイナミックな歴史の相互連関、おもしろさが理解できる。

グローバル化の歴史は、ともすれば、近世以降のヨーロッパ勢力による海外膨張政策によって始まったと考えられがちである。グローバル経済史を研究する欧米の経済史家の間でも、グローバル化の起源と性格をめぐり論争がある。

計量経済史研究の旗手である、アメリカのハーヴァード大学のJ・ウィリアムスンとその弟子K・オルークは、一九世紀中葉の環大西洋経済圏における物価・賃金等の諸経済指標の収斂《しゅうれん》（同一化）が、史上初めて、国境や大陸を越えた一つの世界市場を実現し、それこそがグローバル化であると主張する。他方で、第1章でも紹介したように、D・フリンはさらに歴史をさかのぼって、一六世紀後半の大航海時代における銀の世界的規模での流通に着目して、一五七一年にグローバル化が始まったと主張する。

　両者の見解は大きく異なるが、グローバル化の担い手として、近世以降のヨーロッパ勢力と大陸間（ヨーロッパ―アメリカ―アフリカ―アジア）でのモノの遠隔地交易の確立を重視する点は共通している。そこでは、「長期の一八世紀」における環大西洋経済圏の形成がグローバル化の展開と緊密に結びついていた点は、暗黙の前提とされている。

　本書では、環大西洋経済圏とアジア世界（海域アジア）とのつながり、そこで見られたアジア商人や政治権力としてのアジアの諸帝国の、グローバル化への主体的・積極的な関与を明らかにした。ヨーロッパ勢力のなかで最強のイギリス帝国権力も、アジアにおいては、現地勢力との妥協や協力・協調を余儀なくされたのである。その相互作用、関係性に着目することによって、私たちは、グローバル化の歴史的実態に迫ることが可能になる。

　本書冒頭でもふれたように、現代の世界経済の中心は、一九世紀初頭以来ほぼ二世紀にわたって圧倒的優位を占めてきた欧米世界、環大西洋経済圏に代わり、アジア世界、アジア太平洋経済圏に急速に移行しつつある。イギリス帝国＝コモンウェルスは、このアジア世界の

「経済的復権」の舞台となる諸地域とも、一九世紀以来、緊密な関係を築いてきた。イギリス帝国の歴史は、世界経済体制の基軸を構成してきた環大西洋経済圏と、二〇世紀末から再興しつつあるアジア太平洋経済圏の両方を包摂している。現地アジア側の主体性、相対的独自性を論じる際にも、イギリス帝国との多様な関係性は無視できない。

二〇一六年六月二三日に行われたEUからの離脱を問う国民投票によって、イギリスはわずか三・八%という僅差でEU離脱を決めた（ブレグジット）。その後、さまざまな手続き、論争を経て、二〇二〇年一月末に正式な離脱が成立した。この間、首相は三人交代し（キャメロン、メイ、ボリス・ジョンソン）政治は混迷した。ブリグジットの最大の理由は、EUから大量に入ってきた労働目的での移民の問題であった。グローバル化のもとでのヒトの移動が、国論を二分する政治社会問題になったのである。EU離脱後にジョンソン政権が打ち出した新たな国家戦略が、「グローバル・ブリテン」（Global Britain）である。その構想では、かつての帝国諸地域であるコモンウェルスとの関係の強化、さらに、経済成長が著しい「インド太平洋」（the Indo-Pacific）地域との連携が強調されている。おりしも、二〇一九－二二年のコロナ禍を経て、南アジア系イギリス人初で、ヒンズー教徒のリシ・スナクが、二〇二二年一〇月に首相に就任した。イギリス自体も、二一世紀の新たな自国のアイデンティティを求めて模索が続いている。

その意味で、本書で考察してきたイギリス帝国の歴史は、新たな世界史、グローバルヒストリーへの「ブリッジ」として位置づけることができるであろう。

あとがき

本書ができあがるまでに、先達による優れた研究成果を参照するとともに、実に多くの方々のお世話になった。

一九世紀以降現代までの近現代史を専門とする筆者にとって、「長期の一八世紀」を中心とする近世のイギリス帝国史を組み込んで執筆することは、当初から新たな課題となり、勉強のためにいささか時間を要した。とくに川北稔先生（佛教大学）の諸論考は、第1章を構想するうえで非常に参考になった。アジア諸国との相互関係と連鎖に重点を置いたイギリス帝国の通史を構想するに際して、日頃からさまざまな学問的刺激を受けている「イギリス帝国史研究会」での研究交流は、筆者にとって大きな資産となっている。とくに帝国の終焉、脱植民地化に関しては、木畑洋一先生（成城大学）、菅英輝先生（西南女学院大学）や渡辺昭一氏（東北学院大学）との共同研究から多くの示唆を得た。

遅々として進まぬ作業の最大の刺激になったのは、本書の各所で言及した、最近のグローバルヒストリー研究の急速な進展である。

幸い、二〇〇四年度から始めた大阪大学での「グローバルヒストリー研究」に対して、翌二〇〇五年から、日本学術振興会の科学研究費補助金（基盤研究Bおよび基盤研究A）の助成を受けることができた。そのファンドを利用して、一〇名前後の共同研究チームを組織し、「アジアからのグローバルヒストリーの構築」をテーマとして、経済史研究を中心に一連の研究会を継続的に組織してきた。その過程で、アメリカのカリフォルニア学派や、ロンドン大学LSEのP・オブライエン教授を中心とするグローバル経済史の研究成果を学び、これらの研究者とも交流することが可能になった。

この研究会の仲間のなかでも、「長期の一八世紀」を専門とする水島司氏（東京大学）と、二〇世紀の現代東アジア史を専門とする久保亨氏（信州大学）のお二人からは、多くの示唆と助言をいただいた。また、中公新書『茶の世界史』をはじめ多くの優れた業績をあげられている社会経済史研究の泰斗・角山榮先生からも、折にふれて温かい御助言をいただいた。

本書の構想を練り上げるうえで、一時期、同時に進行した近藤和彦先生（立正大学）を中心とする『イギリス史研究入門』（山川出版社、二〇一〇年）刊行のプロジェクトも参考になった。筆者はその第12章「帝国」で、イギリス帝国に関する通史的な研究入門として、内外の文献紹介とその解釈を中心に執筆した。

だが、本書の構想に肉づけして、実際の歴史叙述をおこなうためには、単なる文献紹介では不十分である。それを補うため、筆者は本書の構想の一部あるいは骨格部分を、本務校である大阪大学で同僚の桃木至朗氏らとともに担当している「市民のための世界史」や、非常勤先の関西学院大学の「グローバルヒストリー入門」など、学部生向けの入門講義で試行的に語ってみた。不十分な講義内容に対して寄せられた学生諸君からの声、とくに関係史的なアプローチと、アジア世界の「自立性」に対する関心の高さと積極的な反応は、本書の執筆を進めるうえで大きな励みとなった。

また、若い大学院生諸君からの意見も非常に参考になった。とくに第1章に関しては、近世アジア経済史とアフリカ史との接続をめざす、LSE博士課程の院生の小林和夫君に草稿の検討をお願いした。

本書執筆のお誘いを受けたのは、実は、最初の著書を刊行した二〇〇三年の秋、筑波での国際政治学会に出席し、そこで中公新書編集部の小野一雄さんにお会いした時にさかのぼる。小野さんからは、近世以降のイギリス帝国の通史を執筆するように強く勧めていただいた。近世と現代を含む通史の執筆には慎重にならざるをえず、前述のグローバルヒストリー研究プロジェクトの発足と運営を理由に、構想案を提出するまでに四年半を要した。その間に担当者は高橋真理子さんに代わり、高橋さんからも再三激励いただいたものの完成にいたらず、三人目の編集者の宇和川準一さんになって、ようやく執筆を終えることができた。三人の編集者の皆さんの手助けがなければ、本書は未刊に終わったであろう。そして最終的に筆者の背を押してくれたのは、妻・朝美の助言であった。

以上の方々に対して、この場を借りて感謝申し上げます。

二〇一二年三月

秋田茂

主要参考文献

全　般

秋田茂・木村和男・佐々木雄太・北川勝彦・木畑洋一編『イギリス帝国と20世紀』1－5巻、ミネルヴァ書房、二〇〇四－〇九年
秋田茂「第12章　帝国」近藤和彦編『イギリス史研究入門』山川出版社、二〇一〇年
Wm. Roger Louis (editor-in-chief), *The Oxford History of the British Empire*, Vols. I–V, Oxford University Press, 1998–99
P. J. Marshall (ed.), *The Cambridge Illustrated History of the British Empire*, Cambridge University Press, 1996

序　章

絵所秀紀『離陸したインド経済』ミネルヴァ書房、二〇〇八年
吉岡昭彦『インドとイギリス』岩波新書、一九七五年
The Economist, Vol. 394, Num. 8675 (2010); Vol. 400, Nums. 8743 & 8744, Vol. 401, Num. 8756 (2011)

Angus Maddison, *The World Economy: a millennial perspective*, Paris: Development Center of the OECD, 2001（アンガス・マディソン、金森久雄監訳、政治経済研究所訳『経済統計で見る世界経済２０００年史』柏書房、二〇〇四年

第1章

池本幸三『近代奴隷制社会の史的展開――チェサピーク湾ヴァジニア植民地を中心として』ミネルヴァ書房、一九八七年
川北稔『工業化の歴史的前提――帝国とジェントルマン』岩波書店、一九八三年
川北稔『民衆の大英帝国――近世イギリス社会とアメリカ移民』岩波書店、一九九〇年
小林和夫「イギリスの大西洋奴隷貿易とインド産綿織物――トマス・ラムリー商会の事例を中心に」『社会経済史学』77巻3号、二〇一一年
角山榮『茶の世界史』中公新書、一九八〇年
浜忠雄『カリブからの問い――ハイチ革命と近代世界』岩波書店、二〇〇三年
D・フリン、秋田茂・西村雄志編訳『グローバル化と銀』山川出版社、二〇一〇年
桃木至朗編『海域アジア史研究入門』岩波書店、二〇〇八年
和田光弘『紫煙と帝国――アメリカ南部タバコ植民地の社会と経済』名古屋大学出版会、二〇〇〇年
David Armitage, *The Ideological Origins of the British Empire*, Cambridge University Press, 2000（デイヴィッド・アーミテイジ、平田雅博・岩井淳・大西晴樹・井藤早織訳『帝国の誕生――ブリテン帝国のイデオロギー的起源』日本経済評論社、二〇〇五年）

Bernard Bailyn, *Atlantic History: Concept and Contours*, Harvard University Press, 2005（バーナード・ベイリン、和田光弘・森丈夫訳『アトランティック・ヒストリー』名古屋大学出版会、二〇〇七年）

John Brewer, *The Sinews of Power: War, Money, and the English State, 1688–1783*, London: Unwin Hyman, 1989（ジョン・ブリュア、大久保桂子訳『財政＝軍事国家の衝撃——戦争・カネ・イギリス国家 1688－1783』名古屋大学出版会、二〇〇三年）

K. N. Chaudhuri, *The Trading World of Asia and the English East India Company, 1660–1760*, Cambridge University Press, 1978

N. F. R. Crafts, *British Economic Growth during the Industrial Revolution*, Oxford: Clarendon Press, 1985

Joseph E. Inikori, *Africans and the Industrial Revolution in England: a Study in International Trade and Economic Development*, Cambridge University Press, 2002

P. J. Marshall, *East Indian Fortunes: The British in Bengal in the Eighteenth Century*, Oxford University Press, 1976

Sidney W. Mintz, *Sweetness and Power: The Place of Sugar in Modern History*, New York: Viking, 1985（シドニー・W・ミンツ、川北稔・和田光弘訳『甘さと権力——砂糖が語る近代史』平凡社、一九八八年）

Anthony Reid, *Southeast Asia in the Age of Commerce, 1450–1680*, 2 vols., New Haven: Yale University Press, 1988, 1993（アンソニー・リード、平野秀秋・田中優子訳『大航海時代の東南アジア 1450－1680』I・II、法政大学出版局、一九九七・二〇〇二年）

David Richardson, 'The British Empire and the Atlantic Slave Trade, 1660–1807', in P. J. Marshall (ed.),

The Oxford History of the British Empire, Vol. 2, *The Eighteenth Century*, Oxford University Press, 1998, chap. 20.

Eric Williams, *Capitalism and Slavery*, Chapel Hill: University of North Carolina Press, 1944（E・ウィリアムズ、中山毅訳『資本主義と奴隷制――ニグロ史とイギリス経済史』理論社、一九八七年）

第2章

浅田實『イギリス東インド会社とインド成り金』ミネルヴァ書房、二〇〇一年

P・オブライエン「パクス・ブリタニカと国際秩序 1688－1914」松田武・秋田茂編『ヘゲモニー国家と世界システム――20世紀をふりかえって』山川出版社、二〇〇二年、第2章

加藤祐三『黒船前後の世界』岩波書店、一九八五年

木村和男『連邦結成――カナダの試練』日本放送出版協会、一九九一年

杉原薫『アジア間貿易の形成と構造』ミネルヴァ書房、一九九六年

竹内幸雄『自由貿易主義と大英帝国――アフリカ分割の政治経済学』新評論、二〇〇三年

平田雅博『イギリス帝国と世界システム』晃洋書房、二〇〇〇年

前川一郎『イギリス帝国と南アフリカ――南アフリカ連邦の結成 1899～1912』ミネルヴァ書房、二〇〇六年

毛利健三『自由貿易帝国主義――イギリス産業資本の世界展開』東京大学出版会、一九七八年

吉岡昭彦『近代イギリス経済史』岩波書店、一九八一年

C. A. Bayly, *Imperial Meridian: The British Empire and the World, 1780–1830*, London: Longman, 1989

Huw V. Bowen, *The Business of Empire: The East India Company and Imperial Britain, 1756–1833,* Cambridge University Press, 2006

P. J. Cain and A. G. Hopkins, *British Imperialism, 1688–2000,* 2nd edition, London: Longman, 2002（P・J・ケイン／A・G・ホプキンズ、竹内幸雄・秋田茂・木畑洋一・旦祐介訳『ジェントルマン資本主義の帝国』I・II、名古屋大学出版会、一九九七年）

P. J. Cain, *Hobson and Imperialism: Radicalism, New Liberalism, and Finance, 1887–1938,* Oxford University Press, 2002

Chandran D. S. Devanesen, *The Making of the Mahatma,* Hyderabad: Orient Longman, 1969（チャンドラン・D・S・デェヴァネッセン、寺尾誠訳『若き日のガーンディー——マハートマーの生誕』未來社、一九八七年）

J. Gallagher and R. Robinson, 'The Imperialism of Free Trade,' *The Economic History Review,* 2nd series, Vol. VI, 1953（川上肇他訳「自由貿易帝国主義」G・ネーデル／P・カーティス編『帝国主義と植民地主義』御茶の水書房、一九八三年）

P. Harnetty, *Imperialism and Free Trade: Lancashire and India in the mid-nineteenth century,* Vancouver: University of British Colombia Press, 1972

Ian Nish, *The Anglo-Japanese Alliance: the diplomacy of two island empires, 1894–1907,* London: Athlone Press, 1966

Andrew Porter, *Religion versus Empire?: British Protestant Missionaries and Overseas Expansion, 1700–1914,* Manchester University Press, 2004

R. Robinson and J. Gallagher with A. Denny, *Africa and the Victorians: The Official Mind of Imperialism*, London: Palgrave Macmillan, 1961, 2nd ed., 1981
S. B. Saul, *Studies in British Overseas Trade, 1870–1914*, Liverpool University Press, 1960（S・B・ソウル、久保田英夫訳『イギリス海外貿易の研究　１８７０－１９１４』文眞堂、一九八〇年）
Bernard Semmel, *Imperialism and Social Reform: English Social-Imperial Thought 1895–1914*, London: Allen & Unwin, 1960（B・センメル、野口建彦・野口照子訳『社会帝国主義史――イギリスの経験　１８９５－１９１４』みすず書房、一九八二年）
Toshio Suzuki, *Japanese Government Loan Issues on the London Capital Market, 1870–1913*, London: Athlone Press, 1994
C. N. Vakil, *Financial Developments in Modern India, 1860–1924*, Bombay: D. B. Taraporevala Sons & Co., 1924

第３章

秋田茂・籠谷直人編『１９３０年代のアジア国際秩序』溪水社、二〇〇一年
秋田茂『イギリス帝国とアジア国際秩序――ヘゲモニー国家から帝国的な構造的権力へ』名古屋大学出版会、二〇〇三年
籠谷直人『アジア国際通商秩序と近代日本』名古屋大学出版会、二〇〇〇年
木畑洋一『支配の代償――英帝国の崩壊と「帝国意識」』東京大学出版会、一九八七年
木畑洋一・後藤春美編『帝国の長い影――20世紀国際秩序の変容』ミネルヴァ書房、二〇一〇年

木村和男『イギリス帝国連邦運動と自治植民地』創文社、二〇〇〇年
久保亨『戦間期中国〈自立への模索〉——関税通貨政策と経済発展』東京大学出版会、一九九九年
桑原莞爾『イギリス関税改革運動の史的分析』九州大学出版会、一九九九年
佐々木雄太『イギリス帝国とスエズ戦争——植民地主義・ナショナリズム・冷戦』名古屋大学出版会、一九九七年
杉原薫『アジア太平洋経済圏の興隆』大阪大学出版会、二〇〇三年
野沢豊編『中国の幣制改革と国際関係』東京大学出版会、一九八一年
渡辺昭一編『帝国の終焉とアメリカ——アジア国際秩序の再編』山川出版社、二〇〇六年
P. J. Cain, 'Gentlemanly imperialism at work: the Bank of England, Canada and the sterling area, 1932-1936', *The Economic History Review*, 2nd Series, vol. XLIX, 2, 1996
Saki Dockrill, *Britain's Retreat from East of Suez: The Choice between Europe and the World?*, London: Palgrave Macmillan, 2002
Ian M. Drummond, *Imperial Economic Policy, 1917–1939: Studies in Expansion and Protection*, London: Allen & Unwin, 1974
Gerold Krozewski, *Money and the End of Empire: British International Economic Policy and the Colonies, 1947–58*, London: Palgrave, 2001
Wm. Roger Louis and Ronald Robinson, 'The Imperialism of Decolonization', *Journal of Imperial and Commonwealth History*, Vol. XXII, No. 3, 1994
Wm. Roger Louis, *Ends of British Imperialism: The Scramble for Empire, Suez and Decolonization*, London:

I. B. Tauris, 2006

Catherine R. Schenk, *Britain and the Sterling Area: From devaluation to convertibility in the 1950s*, London: Routledge, 1994

B. R. Tomlinson, *The Political Economy of the Raj, 1914–1947: The Economics of Decolonization in India*, Palgrave Macmillan, 1979

B. R. Tomlinson, 'Indo-British Relations in the Post-Colonial Era: The Sterling Balances Negotiations, 1947–49', *Journal of Imperial and Commonwealth History*, vol. XIII, Routledge, 1985

The World Bank, *The East Asian Miracle: Economic Growth and Public Policy—A World Bank Policy Research Report*, Oxford University Press, 1993（世界銀行、白鳥正喜監訳、海外経済協力基金開発問題研究会訳『東アジアの奇跡――経済成長と政府の役割』東洋経済新報社、一九九四年）

終　章

水島司『世界史リブレット127 グローバル・ヒストリー入門』山川出版社、二〇一〇年

Shigeru Akita（ed.）, *Gentlemanly Capitalism, Imperialism and Global History*, London: Palgrave Macmillan, 2002

A. G. Hopkins, 'The History of Globalization–and the Globalization of History?,' in A. G. Hopkins（ed.）, *Globalization in World History*, London: Pimlico, 2002

	8月、インド、パキスタンの分離独立
1948	6月、マラヤ非常事態宣言
1949	4月、アイルランド（エール共和国)、コモンウェルスから脱退。コモンウェルス首脳会議、名称の変更とインドの残留を決定
1950	1月、コロンボ・プラン設立を協議（コモンウェルス外相会議）
1951	6月、イラン、アングロ・イラニアン石油会社を接収（イラン危機）
1954	10月、日本、コロンボ・プランに加入
1956	7月、エジプトのナセル、スエズ運河国有化宣言（スエズ危機）
	10月、スエズ戦争始まる（～11月）
1957	3月、ガーナの独立。8月、マラヤ連邦の独立
1960	1月、マクミラン、南アフリカのケープタウンで「変化の風」演説。「アフリカの年」
1961	8月、イギリス、ヨーロッパ経済共同体（EEC）への加盟申請
1963	9月、マレーシア連邦成立。インドネシアとの国境紛争
1965	8月、シンガポール、マレーシア連邦から分離独立。初代首相リー・クアンユー
1967	8月、東南アジア諸国連合（ASEAN）結成
	11月、ポンド切り下げ
1968	1月、「スエズ以東」からの1971年末までの撤退を表明
1973	1月、イギリス、ヨーロッパ共同体（EC）に加盟
1982	4月、フォークランド戦争（～6月）
1984	12月、香港返還協定調印（中英共同声明）
1997	7月、香港返還

1905	5月、チェンバレンが関税改革を提唱（チェンバレン・キャンペーン）。06年の総選挙で敗北
1907	4月、第四回帝国会議開催（植民地会議を改称）
	8月、英露協商締結（三国協商の成立）
1910	5月、南アフリカ連邦の成立
1911	6月、ジョージ五世戴冠式、第五回帝国会議
1914	7月、第一次世界大戦始まる（～18年11月）
1916	4月、アイルランドでイースター蜂起
1919	4月、インドでアムリトサル虐殺事件
	12月、インド統治法制定
1921	11月、ワシントン会議（～22年2月）。日英同盟の廃棄
	12月、英＝アイルランド条約締結。アイルランド自由国の成立、北アイルランドの分離
1925	4月、イギリス、国際金本位制に戦前の旧レートで復帰
1926	10月、帝国会議開催（～11月）。バルフォア報告書を採択
1929	10月、世界恐慌勃発
1931	9月、イギリス、金本位制より離脱
	12月、ウェストミンスター憲章を可決。帝国＝コモンウェルス体制への移行
1932	7月、カナダのオタワで帝国経済会議開催（～8月）。帝国特恵関税の導入
1933	5月、アルゼンチンとロカ＝ランシマン協定調印
	9月、第一次日印会商（～34年1月）
1935	3月、カナダ中央銀行設立
	8月、インド統治法成立
	11月、中国の幣制改革（リース＝ロス使節団の派遣）。米中銀協定
1939	9月、第二次世界大戦始まる（～45年8月）
	11月、英印防衛費協定
1941	8月、F・ローズヴェルトとチャーチル、大西洋憲章を発表
1942	2月、シンガポール陥落
1943	10月、S・C・ボース、日本の協力によりインド臨時政府設立、インド国民軍を組織
1947	2月、スターリング残高をめぐる英印パキスタンの交渉（～52年2月）

1881	2月、南アフリカのマジュバの戦いでイギリス敗北（第一次英＝ボーア戦争） 8月、第二次アイルランド土地法制定 9月、エジプトでアラービー・パシャの反乱
1882	6月、アレキサンドリアの反英暴動にともなうエジプト出兵、軍事占領の開始 インド綿製品輸入関税を全廃。インドの自由貿易実現
1884	1月、ベルリン西アフリカ会議開催（～85年2月）
1885	1月、スーダンにおける「ハルトゥームの悲劇」（ゴードン将軍の戦死）
1886	4月、グラッドストン、アイルランド自治法案・土地購入法案を提出。6月、法案が否決され自由党が分裂
1887	4月、ヴィクトリア女王即位五〇周年記念式典。第一回植民地会議開催
1889	イギリス南アフリカ会社設立
1893	インドにおけるルピー銀貨の自由鋳造停止 日本郵船（NYK）ボンベイ航路開設 南アフリカのナタールで責任政府発足。ガンディー渡航
1894	7月、日清戦争始まる（～95年3月）。日本は賠償金を獲得し、イングランド銀行に預託
1895	12月、南アフリカでジェイムソン侵入事件
1897	6月、ヴィクトリア女王即位六〇周年記念式典
1899	インド鋳貨・紙幣法により金為替本位制の導入 10月、南アフリカ戦争（第二次英＝ボーア戦争）始まる（～1902年5月）
1900	6月、中国で義和団事件起こる（～01年9月）
1901	1月、オーストラリア連邦の成立。ヴィクトリア女王死去、エドワード七世即位
1902	1月、日英同盟締結。「光栄ある孤立」政策の転換 イギリス帝国海底ケーブル網の完成 輸入穀物登録税の導入（1年限定）
1904	2月、日露戦争始まる（～05年9月）。日本のロンドン金融市場における外債発行 4月、英仏協商締結

1795	ロンドン伝道協会設立
1799	イングランド国教会伝道協会設立
1801	1月、アイルランドを統合（アイルランド合同法）。「連合王国」の成立
1807	奴隷貿易廃止
1813	東インド会社のインド貿易独占権廃止
1819	ラッフルズ、シンガポール島を買収。自由貿易港の建設に着手
1833	東インド会社の中国貿易独占権廃止
1834	イギリス帝国内での奴隷制廃止（～35年）
1839	カナダに関する『ダラム報告書』提出。責任政府の容認を提言
1840	第一次アヘン戦争始まる（～42年）。42年、南京条約により香港島を獲得、上海等の五港を開港
1846	6月、R・ピール、穀物法を撤廃
1849	6月、航海法を撤廃。イギリス本国における自由貿易体制定着
1851	5月、第一回ロンドン万国博覧会開催（～10月）
1856	アロー戦争（第二次アヘン戦争）始まる（～60年）。58年、天津条約。60年、北京条約
1857	5月、インド大反乱始まる（～58年8月）。58年、東インド会社廃止、本国の直轄支配のためインド省創設
1858	日英修好通商条約締結（安政の五ヵ国条約）
1861	アメリカ南北戦争にともなうイギリスの「棉花飢饉」（～65年）
1863	8月、薩英戦争
1864	9月、四ヵ国連合艦隊下関砲撃事件
1865	香港上海銀行（HSBC）設立
1866	大西洋横断海底ケーブル開通
1867	7月、カナダ連邦発足
1869	5月、アメリカ大陸横断鉄道完成、11月、スエズ運河開通（運輸革命）
1873	イギリスの「大不況」始まる（～96年）
1875	B・ディズレーリ、エジプト副王からスエズ運河株を買収
1877	1月、ヴィクトリア女王、インド女帝宣言。インド総督リットンがデリーで大謁見式を開催
1878	第二次アフガン戦争始まる（～80年）
1879	アイルランド土地同盟結成。土地改革闘争の展開

イギリス帝国史略年表

西暦	主な事項
1600	イギリス東インド会社設立
1607	ヴァージニア会社、北米のジェイムズタウンを建設
1620	ピューリタン、北米に移民してニューイングランド植民地の基盤を形成
1655	イギリス革命中のクロムウェル軍、西インド諸島のジャマイカ島を占領
1660	イングランド王政復古
1688	イングランド名誉革命
1694	イングランド銀行設立
1700	キャラコ輸入禁止法制定
1713	ユトレヒト条約締結。イギリスがジブラルタルと奴隷の独占的供給権（アシエント）を獲得
1756	七年戦争（フレンチ＝インディアン戦争）始まる（～63年）
1765	イギリス東インド会社、ベンガルの徴税権（ディワニー）を獲得 北米植民地で印紙法制定。反対運動起こる（～66年）
1773	12月、ボストン茶会事件
1775	アメリカ独立革命始まる（～83年）。76年7月、アメリカ独立宣言、アメリカ合衆国の成立
1784	ピットの関税改革、茶関税の大幅な引き下げ。「ピットのインド法」制定
1786	マレー半島のペナン島を獲得
1788	初代インド総督ヘースティングス裁判始まる（～95年）
1791	8月、サン＝ドマング島の黒人奴隷蜂起。ハイチ革命始まる（～1804年）
1792	マカートニー使節団を中国に派遣（～93年）
1793	フランス革命＝ナポレオン戦争（～1815年）

事項索引

人名索引

秋田 茂（あきた・しげる）

1958年生まれ．81年，広島大学文学部史学科卒業．85年，同大学文学研究科中退．博士（文学，大阪大学）．大阪外国語大学外国語学部助教授，大阪大学大学院文学研究科世界史講座教授を経て，現在，大阪大学レーザー科学研究所特任教授．大阪大学名誉教授．2022年，紫綬褒章受章．

著書『イギリス帝国とアジア国際秩序』（名古屋大学出版会，2003）
『パクス・ブリタニカとイギリス帝国』（編著，ミネルヴァ書房，2004）
The International Order of Asia in the 1930s and 1950s（edited with N. J. White）Ashgate, 2010
『帝国から開発援助へ』（名古屋大学出版会，2017）
『イギリス帝国盛衰史』（幻冬舎新書，2023）

イギリス帝国《ていこく》の歴史《れきし》
中公新書 *2167*

2012年6月25日初版
2024年5月30日10版

著　者　秋田　茂
発行者　安部順一

本文印刷　三晃印刷
カバー印刷　大熊整美堂
製　本　小泉製本

発行所　中央公論新社
〒100-8152
東京都千代田区大手町 1-7-1
電話　販売 03-5299-1730
　　　編集 03-5299-1830
URL https://www.chuko.co.jp/

Published by CHUOKORON-SHINSHA, INC.
Printed in Japan　ISBN978-4-12-102167-0 C1222

中公新書

世界史

e2